D1578847

DOMAINE FRANÇAIS

Editeur : Bertrand Py

LOIN DE QUOI ?

DU MÊME AUTEUR

DADE CITY, Actes Sud, 1996.
LA CANNE DE VIRGINIA, Actes Sud, 1998 ; Babel n° 601.

LAURENT SAGALOVITSCH

Loin de quoi ?

roman

ACTES SUD / LEMÉAC

A Alzira et à Christian, des goys certes, mais sans leur indéfectible affectueuse attention, et leur amitié jamais démentie, vous n'auriez jamais connu l'extatique bonheur de lire cette merveille de roman.

*L'auteur tient à remercier tout particu-
lièrement la fondation Hachette, le ministère des Affaires étrangères, le Centre
national du livre, la fondation Heim,
les éditions Actes Sud, pour leurs aides
aussi diverses que décisives.*

Deux juifs se retrouvent après des années à la terrasse d'un café.

— Alors, que deviens-tu ?

— Moi, pas grand-chose. Toujours dans les affaires. Et toi ?

— J'ai décidé de quitter la France.

— Mais pour aller où ?

— En Australie.

— En Australie ? Mais c'est loin ça !

— Loin de quoi ?

Le car n'allait pas plus loin. Après c'était le Pacifique, et puis après c'était quoi déjà ? Le Japon, l'Australie, la Russie ? Enfin, après c'était loin. On avait voyagé pendant trois longues journées, trois nuits interminables où je n'avais pas dormi, où j'avais regardé, hagard, assommé de fatigue, les paysages défiler, les mornes plaines, les montagnes, les plaines mornes, les champs à perte de vue, les paysans trônant comme de petits bouseux de caporaux sur leurs moissonneuses-batteuses toutes rutilantes, les pavillons endormis, les villes moyennes, toutes les mêmes, dégoulinantes d'ennui, les stupides troupeaux de bovins avec qui, malgré tout, j'avais fini par fraterniser, les enfants tout débraillés à la sortie de l'école, les gens dans leurs jardins de nains, occupés à boire, à manger, à tailler, à tondre, à souffler sur leur barbecue, à s'embrasser, à ne rien faire, à regarder passer le car et puis encore des plaines, des villes, des arbres, des routes, des croisements, des voyageurs qui montaient qui descendaient qui dormaient, se réveillaient, allaient pisser, remontaient, me décochaient un sourire fatigué, va te faire foutre je ne sais pas qui tu es mais *a priori*, par principe, simple principe de précaution, je t'emmerde. Monika avait raté tout cela, avachie dans son fauteuil, repliée sur elle-même, enfouie dans son chandail, émergeant juste pour réclamer, tous les cent kilomètres, un morceau de gâteau et une goutte de café sans sucre.

Evidemment c'était le moment idéal pour s'accorder un petit bilan existentiel, un car fonçant dans la nuit nord-américaine, un face-à-face en cinémascope avec sa conscience, prendre enfin le temps de se retourner, contempler le chemin accompli, s'accorder quelques satisfecit, se dire qu'on n'avait pas été si médiocre que ça, même si bien sûr c'était faux, conclure par un très professoral "peut et doit mieux faire" avant de se donner une petite tape fraternelle dans le dos et se souhaiter bon courage pour les années à venir.

Au lieu de quoi, j'ai seulement pensé qu'il serait bienvenu que mes parents se décident à mourir, afin que je devienne adulte et que je puisse être vraiment à plaindre.

Puis, traumatisé par cet intermède un peu trop introspectif, j'ai jugé bon d'attendre avant de repasser en cour martiale.

J'ai secoué un peu Monika, elle a grommelé, je lui ai dit qu'on était arrivés, elle a regardé par la fenêtre, il pleuvait, le ciel était bas, le car désert, le chauffeur debout, nous invitant à descendre avec de grands gestes de la main comme si nous étions des réfugiés moldaves ou croates, ça va ça va on arrive, tu vas pouvoir le boire ton café à l'eau, elle a enfilé mon blouson, c'est ça, te gêne surtout pas, et moi je fais quoi, j'arrache le cuir du fauteuil et je m'enrobe dedans ?

Il faisait frisquet, le matin bâillait encore, l'aube soupirait, des mouettes paresseuses conversaient sur un banc, indifférentes à la pluie, et l'océan tenait une gueule de bois sévère. Au loin, devant nous on apercevait, entre deux échappées solitaires de nuages nuageux, des flancs de montagnes montagneuses aux sommets encerclés de neige neigeuse. (Ah ah !)

On est où ? Monika a demandé en s'étirant comme une panthère anorexique. Pacifique. Canada. Vancouver. Nulle part. Bout du monde.

D'une voix pâteuse, elle a juste dit : ah bon ? Je pensais qu'on allait à Seattle.

Une prochaine fois, Monika, une prochaine fois.

C'est par où ?

Quoi donc ? Seattle ?

Mais non, gros bêta, notre hôtel.

Je ne connaissais Monika que depuis trois jours. On s'était rencontrés dans la salle d'embarquement des bus Greyhound à Montréal.

C'est tout ce qu'il y a à savoir.

Moi-même je n'en savais pas plus.

Certes, alors que le car approchait de Winnipeg, en farfouillant dans son sac à la recherche d'une improbable cigarette que ce soir-là je ne trouvai pas, je dénichai, par un hasard extraordinaire, son passeport et appris, bien malgré moi, qu'elle se prénommait Monika, descendante directe des Van Blaten, qu'elle recensait vingt-cinq années sur la grande boucle du tour du temps ; hollandaise par son père, écossaise par sa mère, elle revenait tout juste d'un voyage au Népal, après s'être aventurée du côté de l'Inde, d'Israël, de la Nouvelle-Zélande ; si entre-temps elle n'avait pas grandi elle contemplait toujours le monde du haut de son mètre soixante-huit et supportait un poids de cinquante-trois kilos, ne possédait aucun signe particulier, si ce n'est un tatouage des lunettes de John Lennon judicieusement réparties sur le haut de ses fesses, mais cela je devais l'apprendre plus tard, bien plus tard, et ce n'est que le 24 octobre 2007 qu'elle devrait se préoccuper de renouveler son passeport à la préfecture d'Amsterdam.

Ses yeux ne ressemblaient à rien de connu si ce n'est aux siens.

Pareil pour la plante de ses pieds.

Ses seins étaient aussi parfaits que pouvaient être des seins.

Par chance, le premier hôtel fut le bon. Il ne leur restait plus qu'une chambre. Vue sur l'océan. Un seul lit. Douche. Baignoire. Elle n'a pas bronché. Moi non plus. Va donc pour l'océan.

Avant même que j'aie posé nos affaires, Monika avait filé dans la salle de bains et moi si je pue tout le monde s'en fout c'est ça ? vas-y continue à te noyer sous la douche d'ailleurs je m'en fous complètement et puis, juste histoire d'emmerder mon monde, je prendrai un bain plus tard et puis une douche et peut-être même que je me raserai dans le lavabo sans le nettoyer. J'avais besoin d'un remontant.

Je descends prendre un verre chérie.

Non je disais juste que je descendais prendre un verre. Et, au passage, j'ai récupéré mon blouson.

Deux heures plus tard, je n'avais toujours pas pris de verre.

Le bar de l'hôtel ne servait que des boissons prétendues rafraîchissantes et, banco, cette semaine le deuxième verre de jus de papaye était gratuit. On était dimanche, les Liquor Store avaient baissé leurs rideaux de fer, les supermarchés ne vendaient pas d'alcool, juste des boissons énergétiques de toutes les couleurs aussi efficaces pour se saouler qu'une inscription à vie chez les Alcooliques anonymes, les Seven Eleven non plus, les stations-service pareil. Finalement dans un bar glauque du centre-ville on consentit à m'apporter une bière si fade que le plus ayatollah des ayatollahs aurait pu la déguster sans déclencher de fatwa vengeresse.

Epuisé et écœuré par tant d'efforts non récompensés, j'ai fini par rejoindre le bord de mer et m'affalai sur un banc où en lettres dorées il était inscrit que Leslie Ivan aimait venir se reposer ici pour contempler le coucher de soleil et que tous ses amis chérissaient son souvenir ému (1924-1984). Moi de même. Le bandeau électronique du centre Molson indiquait qu'il était 10 h 24 du matin, que la température flirtait avec les dix degrés et qu'il ne fallait pas boire et conduire.

L'humour canadien.

En un rien de temps la promenade s'est transformée en une vaste arène olympique. Surgis de nulle part, des femmes et des hommes, la mine orgasmique, avalaient les kilomètres d'une foulée racée et puissante, des chiens, la langue raclant le sol, galopaient à leurs côtés, s'absentant de temps à autre pour piquer une tête dans l'océan avant de rattraper leurs maîtres une centaine de mètres plus loin, des handicapés, un bandeau vissé sur leur front, maltraitaient leurs fauteuils pour dépasser les chiens, des couples furieux, la bave aux lèvres, déboulaient, campés sur des tandems profilés, des parents tout sourire remorquaient sur leurs vélos des espèces de landaus à deux roues où se cramponnaient des enfants terrifiés, des jeunes filles juchées sur des rollers jouaient des coudes avec des papys asthmatiques, de grosses dondons, un gobelet de café à la main, sprintaient pour rejoindre leurs maris à la musculature impeccable, d'élégantes demoiselles jouaient au tennis avec leur labrador tandis que sur l'océan des canoës, des kayaks, des voiliers, des pirogues se livraient à un remake nautique de *Ben Hur*.

On tourne un spot pour la santé civile c'est ça ? Un cœur qui bat c'est une âme qui respire.

Il pleuvait toujours autant mais tout le monde s'en foutait. Tout le monde était content. Tout le monde souriait. La vie était belle, l'avenir radieux et on allait tous vivre jusqu'à cent ans. Magnifique !

Fatigué, déprimé, lessivé, éreinté, désorienté, désemparé, au bord de la dépression, je rentrai à l'hôtel. Au passage, je croisai des vagabonds pétant la forme, le teint hâlé, la démarche vaillante, conduisant d'une main ferme des caddies débordant de bouteilles vides.

Une ville de fous.

Monika était encore à glouglouter dans la salle de bains. Ses vêtements traînaient sur le lit. Rien de particulièrement folichon : un jean délavé, une chemise froissée, des chaussettes blanches, une culotte Petit Bateau. Pas de trace de soutien-gorge. Ni de bas.

Pourtant je notais un début d'érection.

J'ai frappé à la porte.

Qu'est-ce que c'est ?

C'est moi.

Tout va bien ?

Oui oui. Et toi ?

Je prends un bain.

Profites-en bien.

Merci.

Maintenant je bandais.

Tiens et si je fracassais la porte, apparaissais nu comme un ver, ma queue toute circoncise à la main, la langue pendante, mes couilles pétaradantes de sperme se baladant sur mes cuisses velues...

Plus tard, Simon, plus tard.

J'ai fini par dénicher le minibar sous la commode, et sans plus tarder polluai mon estomac de trois mignonnettes de Johnny Walker.

J'aurais quand même préféré du bourbon.

J'ai allumé la télé.

Quatre-vingt-neuf chaînes.

La première fois, j'ai mis trois minutes trente à effectuer le trajet. Deux minutes quarante à ma deuxième tentative. Malgré mon acharnement à triturer la télécommande d'une manière compulsive, je n'ai jamais pu descendre en deçà de la minute. Arrivait toujours un moment où je craquais.

Je passais du regard vitreux de Sue Ellen à la mine ahurie de Colombo réveillé en pleine nuit de shabbat (si si, Colombo est juif) ; je tremblais devant l'attitude hallucinée d'un pasteur débitant, d'un air sévère et concerné comme s'il était le bootlegger de Jésus en personne, des propos incohérents au sujet d'une biche avalée par un crocodile ou peut-être était-ce le contraire, je restais perplexe devant le placage implacable d'un cosmonaute rouge sur un astronaute jaune à quelques yards de la ligne d'arrivée, je souffrais avec Travis égaré dans le désert de *Paris, Texas*, pub, pub, pub, pub, fin de pub, CNN en direct live du Kosovo du Bangladesh du Rwanda, de Jérusalem, de Kansas City, du trou du cul du monde, pub, pub, pub – nos amies les bêtes, nos amis les vieux, nos amis les handicapés, nos amis les animaux handicapés, nos amis les vieux animaux handicapés –, pub, une séance de gym, trois déesses dénuées de seins tressautant, en rythme, sur un tapis bleu avec un océan factice en toile de fond, Colombo, toujours pas rasé, sermonne Moïse son basset hassidique, une poursuite en supervision d'une voiture de malfrats coupable d'avoir brûlé un feu rouge le tout filmé d'un hélicoptère, Travis toujours perdu dans le désert, pub.

Tu viens te promener ?

De quoi ?

Tu veux venir te promener ?

Elle sortait de la salle de bains, tout habillée, un écran de chaleur la précédant. Damned ! Bien sûr, maligne comme un footballeur hollandais dans la surface de réparation, elle s'était réfugiée dans son hammam avec des affaires de rechange. Mes couilles ont tressauté de déception.

Où ça ?

Je ne sais pas. Au bord de l'océan.

Peux pas. J'ai oublié mes rollers dans le car.

Comme tu veux. A plus tard alors.

Tu peux demander à la réception de me monter une bouteille de scotch ?

Quelle marque ?

La plus chère.

D'accord. Je t'emprunte ton blouson.

C'est ça.

Quelle conn... Je suis sûr que j'étais en train de battre mon record.

Tiens bon Travis, revisse bien ta casquette, refais tes lacets, et marche.

Je n'avais pas le souvenir qu'il marchait autant.

J'ai toujours adoré sa casquette rouge.

Colombo, désormais presque barbu, entre dans une synagogue, ce schmok a encore oublié ses tephillim, le bedeau le réprimande, il demande à parler à la femme du rabbi occupée à préparer des cigarettes au miel.

Un troupeau de lionnes, avachies, au bord d'un lac aride, quelque part en Afrique subsaharienne, papotent, en regardant le soleil se coucher.

Le révérend, aussi sexy que Lloyd Cole en caleçon, ose me montrer du doigt et m'invective : Celui qui s'efforce de se surpasser / celui-là nous pouvons le sauver.

Voleur de Goethe.

Va te faire foutre.

Je ne tiens pas à être sauvé.

Et une cahouète en pleine tronche.

Pub.

Pub.

Comment mon mari m'a trompée avec la directrice de l'école pendant la réunion de parents d'élèves.

T'as vu ta tronche, ma belle ?

Simon, tu es une ordure de la pire espèce.

Je sais.

Les Argonautes de Winnipeg mènent treize à trois contre les Colombes de Calgary.

Définitivement, le football américain est une insulte à l'intelligence.

Et un on monte ses genoux, et on tient, on tient, on tient.

Pub.

Téléphone.

Allô ?

Ici la réception. Nous sommes sincèrement désolés monsieur mais nous ne servons pas d'alcool le dimanche. C'est la loi. Permettez-moi néanmoins…

Travis enlève sa casquette, s'éponge le front.

Mais donnez-lui à boire enfin.

Zoom sur la voiture en fuite. Bien vu c'est une Pontiac.

Treize-sept. Score final.

Il est deux heures du matin et nous y sommes : une lionne insomniaque a repéré un zèbre soignant sa gueule de bois au beau milieu de la savane.

Le Christ est notre sauveur. Votre sauveur. Le seul.

Une heure a passé.

J'ai fini par me laisser tenter par Travis errant sans fin dans le désert Mojave.

J'ai appelé Léa.

"Bonjour je ne suis pas là pour l'instant mais vous pouvez laisser un message après le bip qui selon toute vraisemblance devrait être sonore. A propos si c'est toi Simon, Simon je t'emmerde amoureusement..."

Lorsque, à la fin du repas de Pessah, j'ai annoncé à mes parents que je quittais la France pour le Canada, que c'était définitif, que c'était ainsi, que j'avais bien réfléchi, ma mère a répété : le Kanada, le Kanada, comme si c'était le nom d'un cousin éloigné qui venait de ressurgir des entrailles du passé, je peux savoir ce que mon fils va faire au Kanada, me reposer maman me ressourcer, vivre, j'étouffe dans ce pays, tout est trop petit, trop mesquin, trop calculé, je ne supporte plus les Français, leur arrogance perpétuelle, la façon dont ils conduisent, la pollution, le bruit, les gens entassés dans les bus, la puanteur du métro, regarde autour de toi maman combien ce pays est fatigué, exsangue, triste, mort, moribond, parce que le Kanada c'est mieux peut-être ? comment ça pourrait être pire a dit papa, il a raison Simon, mille fois raison, ce pays court à sa perte, je l'ai toujours dit, trente ans que je le répète, si tu m'avais écouté à l'époque, on se serait installés à Bruxelles, tu sais que tu radotes Georges, parfois je me demande si tu n'as pas un alzheimer, qui sait si ton soi-disant froid intérieur n'est pas au bout du compte une manifestation de ton alzheimer, arrête tu m'agaces, en tout cas Simon sache que tu peux compter sur ton vieux père, pars, bien sûr pars de ce pays, il n'y a pas d'avenir pour toi ici, pars sans regret : même notre championnat de foot ressemble de plus en plus à l'hôpital des enfants malades, je t'assure que n'étaient mes affaires je partirais sur-le-champ avec toi, tes affaires mais de quelles affaires tu parles tu peux me dire un peu Georges, de quelles affaires, moi je ne les vois pas tes affaires, je-ne-les-vois-pas, j'ai beau consulter le compte à la banque je ne vois rien venir, dis-moi mon fils est-ce que tu as entendu le téléphone sonner depuis que tu es là, pourquoi on a pris une deuxième ligne, je me demande encore, Georges je suis inquiète tout à coup, ce silence me fait peur, tu es sûr que tu as bien raccroché le combiné, peut-être es-tu en train de rater l'affaire du siècle, tu sais pas que maintenant il s'est mis martel en tête d'installer le fax pour augmenter soi-disant le volume de ses affaires, pourquoi pas Intranet aussi, oh ça suffit tu m'agaces, je t'ai déjà expliqué que pour survivre de nos jours dans cette jungle capitaliste tu te dois de posséder une adresse vermeil, tous les fournisseurs me le disent, monsieur Sagalovitsch si vous ne voulez pas disparaître de nos fichiers il vous faut impérativement une adresse vermeil, mais quelle adresse vermeil Georges déjà que tu ne reçois jamais de fax, dis-moi mon fils je peux savoir comment tu vas vivre au Kanada ou c'est comme d'habitude secret-défense, tu as trouvé un emploi au moins, tu sais où tu vas habiter, tu pars avec Léa, ne t'inquiète pas maman je trouverai, bien sûr mon fils, que je suis bête, tout Montréal doit être déjà au courant de l'arrivée de mon fils, je ne vais pas à Montréal maman, comment ça tu ne vas pas à Montréal mais Simon à l'instant tu viens de me dire que tu partais pour le Kanada, tu veux me rendre complètement mischuge ou quoi ah à propos avant que j'oublie tu sais que j'ai été voir André ce matin, ma tension a encore augmenté, j'ai un mauvais pressentiment, je ne suis pas stable, dans la rue, demande à ton père, je marche de travers, maman je pars bien pour le Canada mais je ne vais pas à Montréal mais à Vancouver, où c'est ça Ventoutvert, Vancouver maman, sur la côte ouest, au bord du Pacifique, près de Seattle, très bien le Pacifique dis-moi mon fils tu n'as pas trouvé plus loin, tu es sûr que tu as bien cherché, tu me déçois, qui sait si à Venpouter je ne vais pas venir t'embêter, après tout il y a quoi deux semaines d'avion, trois peut-être, je peux venir un week-end sur deux à moins que d'ici là ta vieille mère ne fasse une crise cardiaque dans l'avion, arrête maman je t'en supplie, essaie juste de me comprendre, si je reste ici, c'est comme si je creusais ma propre tombe, je ne suis pas heureux ici, je tourne en rond, je m'ennuie, je ne veux pas gâcher ma vie à Paris, je comprends bien sûr que je comprends, je ne veux pas que mon Simon soit malheureux, mais entre nous dis-moi mon fils qu'est-ce qu'elle t'a fait la France pour que tu la haïsses ainsi, à moins que ce ne soit pas la France que tu fuies ainsi mais ta mère, c'est ça la vérité, tu me fuis c'est ça, j'ai été une si mauvaise mère dis-moi, je ne me suis pas bien occupée de toi, tu me détestes vraiment à ce point-là, arrête maman, quand je pense à tous les sacrifices que nous avons consentis ton père et moi pour t'offrir, arrête de le culpabiliser a dit papa, ce n'est plus un bébé, et puis où est le drame, on ira le visiter de temps en temps, ça nous changera d'ici, bien sûr Georges et avec quel argent, celui de tes soi-disantes affaires peut-être ou celui de tes dettes, tu sais qu'il a été encore emprunter de l'argent à Daniel, pas j'ai honte, j'ai honte, j'ose même plus l'appeler, je te jure, tu m'agaces, je sors, je vais à mon club d'échecs, c'est ça fuis, fuis, laisse-moi seule avec mon fils, ramène deux baguettes Georges, moulées les baguettes, si tu passes devant la pharmacie prends-moi une boîte de Témesta je n'en ai presque plus, l'ordonnance est sur ma table de chevet, tu manges ici au moins mon fils, je t'ai préparé du tarama et regarde un peu comme je suis une bonne mère, je suis même allée chez le boucher casher acheter des merguez, quel escroc celui-là je peux pas le sentir, je peux pas, maman, je suis désolé mais j'ai rendez-vous, je ne peux pas rester, ce n'est pas grave mon fils, si tu as rendez-vous je comprends, viens je t'emballe le tarama, maman, ne discute pas tu vas finir par me vexer, prends-le ton père n'aime pas ça, d'ailleurs il n'aime rien, je me demande encore pourquoi je prépare la cuisine, tu lui mettrais une pilule dans son assiette que je suis sûre qu'il l'avalerait sans rien dire, ça doit être son froid intérieur, ne te moque pas de ton père, il vieillit tu sais, moi aussi, je suis fatiguée, je sens que je couve quelque chose, la nuit c'est comme si mon cœur voulait sortir de ma poitrine, tac, tac, tac, André me dit que ce n'est rien mais quand même je suis embêtée, et toi qui t'en vas maintenant, mais je reviendrai maman, pour mon enterrement c'est ça, arrête maman, tu as raison mais ça fait quand même un choc, tu as prévenu ton frère et ta sœur au moins, pas encore maman, un sauvage comme toi je n'ai jamais vu, tu t'es encore disputé avec Daniel, mais bien sûr que non maman, allez file, je veux pas que tu sois en retard à ton rendez-vous, embrasse Léa pour moi, j'imagine qu'elle t'accompagne aussi à Valenciennes…

Je ne pars plus, Simon, elle avait dit.

Simon, je ne pars plus, elle avait redit.

Simon, tu m'entends, je ne pars plus.

Simon, cesse de jouer avec ta fourchette et regarde-moi droit dans les yeux : je ne pars plus. Je suis désolée. Je te demande pardon. Je ne peux pas, Simon. Simon si tu pleures je m'en vais tout de suite. Simon, Simon, regarde-moi. Je t'aime. Je t'aime comme je n'ai jamais aimé personne. Tu trouves que je suis une salope. Tu as raison, Simon, je suis une salope. Je n'ai pas de courage, Simon, je ne suis pas comme toi, j'ai des amis ici, j'ai mes parents, ils comptent sur moi, je ne peux pas les abandonner, mon père est fatigué, arrête de boire Simon tu vas te rendre malade, je n'en vaux pas la peine, je suis tout à fait consciente du mal que je te fais et j'en souffre, crois-moi ou pas, autant que toi mais je souffrirais davantage si je te suivais. Tu comprends, Simon ? Dis-moi que tu comprends, Simon. Dis-le-moi. Parle-moi. Tu es cruel toi aussi. Je sais ce que tu penses, Simon, pourquoi avoir attendu si longtemps pour te le dire ? Pourquoi ne te l'avoir pas dit dès le début ? Tu as raison mais tu avais l'air si heureux le jour où tu m'as annoncé ça y est, nous avons nos visas, nous allons quitter ce pays de merde, tu es allé te prosterner devant le Centre culturel canadien avant de grimper dans la

grande roue des Tuileries et d'adresser un bras d'honneur au Tout-Paris. Je ne t'avais jamais vu si heureux. Et moi cette nuit j'ai pleuré. Le lendemain tu
m'as amenée au Touquet et nous avons fait l'amour
comme jamais. Nous n'avons même pas vu la mer.
Du jour au lendemain tu étais devenu un autre. Si
tendre, si prévenant, si détendu. Alors sur la route
du retour j'ai décidé de me taire. De profiter au
maximum de ces six derniers mois. Et ça a marché.
Enfin nous avons été heureux. Quand tu me parlais de notre vie à venir, je ne t'écoutais pas, je te
laissais parler, des heures entières je t'ai écouté, tu
étais si beau, si entier, content comme un gosse qui
vient de recevoir le plus beau cadeau au monde et
plus les jours passaient et plus je t'aimais. Je ne
pensais pas à Vancouver. Je ne pensais qu'à nous.
Je voulais un enfant de toi, je voulais me marier
avec toi et recevoir la bénédiction du rabbin. Je ne
te voulais qu'à moi. Maintenant j'ai tout gâché. Je
m'en veux, si tu savais Simon, combien je m'en
veux. Je t'aime tu sais. Je t'aime. Arrête de boire. Ce
n'est pas une solution. Je vais reprendre la parfumerie, Simon. Ne crie pas. J'ai bien réfléchi. C'est la
meilleure des solutions. Je t'enverrai de l'argent. Je
viendrai te voir dès que possible. Je ne veux pas te
perdre. Si je te perds je perds tout. N'oublie jamais
cela, Simon, si je te perds je perds tout.

Monika fumait de l'herbe en des proportions gargantuesques, Vancouver étant réputé pour être le lupanar de tous les aficionados de marijuana.

Insensible à ces parfums interdits de plantes enivrantes, je me rabattais sur ma bouteille de bourbon, achetée le lendemain de notre arrivée, aux premières lueurs de l'aube, tout en m'abrutissant devant la télévision.

Sur la chaîne Bravo, *Paris, Texas* passait en boucle et Travis n'arrêtait pas de cheminer dans le désert, de croiser son ombre, de suivre des routes qui ne menaient nulle part.

Je trinquais pour lui tenir compagnie.

Une bible sommeillait sur ma table de chevet à côté de ma boîte de Témesta.

Un soir, très tard, je tombai sur un Manchester-Everton.

Monika s'immergeait dans son bain trois fois par jour.

Je me contentais d'une douche matinale.

Je pestais contre l'absence de gants de toilette.

Elle passa une journée entière à écrire des lettres aux quatre coins du monde.

Je me contentai d'une simple carte postale à l'attention de mes parents : "Tout va bien. Temps magnifique. Je vous écris plus long, demain dans la semaine." A Judith j'écrivais : "Pluie, pluie, pluie.

No comment." A Léa : "Longues, trop longues sont les journées sans toi. Je ne peux pas vivre sans toi. Ne m'abandonne pas. Je t'attends."

Il pleuvait toujours autant.

Pourtant, et je le notais très rapidement, la pluie vancouvéroise, contrairement à la pluie parisienne, dure, rugueuse, vengeresse, était douce, soyeuse, amicale. Elle prenait soin de vous, ne s'énervait jamais, s'attendrissait sur votre sort de promeneur détrempé et se contentait de tapoter amoureusement l'océan bougon comme la tendre réprimande d'une institutrice qui reprend, d'un air faussement contrarié, son élève favori.

Et dire qu'en face le Japon nous regarde répétait Monika, postée à la fenêtre, entre deux biberonnages de sa tige hallucinogène, le Japon, j'ai toujours rêvé d'aller au Japon, pas toi ?

Hein ?

Le Japon.

Quoi le Japon ?

Tu as déjà été ?

Non.

Je me demande à quoi ça ressemble.

A une île.

Une grande île.

Une très grande île.

Ainsi nous passâmes notre séjour au Sylvia Hotel, l'un des plus vieux et des plus courus de Vancouver, me confia la serveuse du bar, œuvre d'un Français dont les descendants perpétuaient la tradition.

Bien que nous dormions dans le même lit, doté d'un matelas assez vaste pour abriter un congrès de catholiques anti-avortement, aucun geste déplacé ne vint troubler nos repos nocturnes.

Certes, la première nuit, je tentai bien quelques approches mais une baffe bien ressentie décochée sur mes parties me fit sentir très vite que ces gamineries adolescentes ne l'amusaient que moyennement.

Prudent, je n'insistai pas.

Le reste du séjour, je me réfugiai dans ma bande de Gaza, sans tenter aucune incursion intempestive, respectant à la lettre nos accords d'Oslo.

Après trois jours et autant de nuits à traîner dans notre chambre nous décidâmes, à la suite d'une longue séance de débriefing – Monika en apnée dans son bain, moi tanguant sur le lit –, qu'il serait plus simple et plus sain de s'enquérir d'une location afin que chacun puisse s'enfumer à sa guise et s'enivrer à souhait.

Je descendis donc acheter le *Vancouver Sun* et *The Province*, les deux seuls quotidiens de Colombie-Britannique.

D'évidence les offres ne manquaient pas.

Ne possédant aucun véhicule motorisé, nous tranchâmes que notre vie séparément commune se déroulerait dans le West End, là où, tous les guides le clamaient, batifolait le cœur de Vancouver, centre névralgique de toutes les débauches possibles, quadrillé par Granville Street, Burrard Street, Davie Street, Denman Street, quatuor prisé de toute la cohorte homosexuelle – débarquée du fin fond du Canada à la recherche de chaleur autant humaine que climatique – alliée, pour la circonstance, avec la toute-puissante corporation des propriétaires de quadrupèdes qui encombraient au crépuscule les plages canines d'English Bay afin de parfaire la condition physique de leurs adorables toutous aussi aguerris que Popov aux Jeux olympiques de Barcelone, Atlanta, Sydney…

Toujours selon les guides, le West End se vantait d'être juste après Manhattan la deuxième concentration de population sur le continent nord-américain. Ce qui, une fois sur place, ne manquait pas de surprendre. Certes, un jour, je dus bien patienter trois bonnes minutes au Liquor Store, derrière un couple titulaire d'un caddie débordant de Budweiser, avant d'atteindre la caisse. Certes, il n'y avait jamais de place au comptoir des bars, encore eût-il fallu que ces bars existassent. Certes une fois, alors que je divaguais à vélo, je dus patienter une éternité avant de me faufiler à travers une file compacte de rollers.

Une chiquenaude comparée aux trois heures nécessaires pour se jouer de la place de la Concorde.

Cerclé de tout côté par le Pacifique, le West End ressemblait à un îlot protégé d'où toutes contingences métaphysiques, économiques, climatiques auraient été bannies : une sorte d'île Galápagos pour les humains. Les avenues verdoyantes jetaient des passerelles entre le quartier d'affaires tout proche et les plages avenantes tandis que de chaque côté des rues ombragées s'épanouissaient d'adorables petites bicoques en bois, avec leurs séculaires fauteuils éventrés postés sous le porche où roupillaient chiens et chats.

De temps à autre un grand échalas d'immeuble patibulaire, estampillé années cinquante, se dressait parmi un essaim de résidences individuelles ultramodernes hanté par des retraités fortunés qui se maintenaient en forme en pratiquant du roller sur le pont avancé de leurs yachts amarrés au bas de leurs portes.

D'emblée nous rejetâmes l'éventualité de nous exiler sur une anonyme 53e Avenue, au fin fond d'une cabane de trappeurs détenue par des Chinois sanguinaires, desservie toutes les deux heures par un bus schizophrène qui se refuserait à sortir de son dépôt les jours impairs.

Un modeste deux-pièces nous suffirait.

Je refusais catégoriquement tout appartement s'élevant plus haut que le troisième étage.

Elle ne voulait pas s'enterrer dans un sous-sol, aussi spacieux soit-il, avec vue imprenable sur les brins d'herbe de la pelouse du propriétaire où chiens, chats, coyotes, loups-garous, ratons laveurs, écureuils, entre deux parties de volley-ball, viendraient se soulager sur notre unique fenêtre.

Je militais pour une vue sur l'océan.

Elle réclama une salle de bains avec baignoire indépendante des toilettes.

J'insistais sur le fait que la distance maison-Liquor Store ne devait pas dépasser les deux cents mètres.

Elle s'insurgea contre les sols revêtus de moquette.

A la fin de la matinée, après moult coups de téléphone et un effeuillage complet des quotidiens, nous décrochâmes un seul rendez-vous en fin d'après-midi au croisement de Jervis Street et de Pacific Avenue.

Grand seigneur, je réglai la note de l'hôtel et signai le reçu de carte bleue sans même me soucier du montant.

La pluie avait cessé.

Nous longeâmes à nouveau la *sea walk*.

Moi devant, Monika derrière.

Le vent s'était levé, les nuages galopaient vers Gabriola et les mouettes, ivres de joie, papillonnaient, immobiles, au-dessus de nos têtes, participant au concours organisé par la section ornithologique de la mairie récompensant la mouette capable de rester le plus longtemps les ailes repliées, les yeux fermés, le bec clos.

La championne serait qualifiée pour les mondiaux de Brest.

Un timide soleil d'automne affichait un sourire d'autiste comme s'il s'excusait d'une longue maladie qui l'aurait cloué au lit depuis des semaines.

Compatissants et compréhensifs, les gens ne lui en voulaient pas. Tout guillerets, ils sautillaient, bondissaient, valsaient, les uns sur leurs vélos, les autres sur leurs rollers, les cancéreux dopés par une chimiothérapie décoiffante coursaient d'un pas déterminé les HIV obligés de gober pilule sur pilule pour suivre la cadence. Les handicapés, moulés dans des tenues de cyclistes seyantes à souhait, casques profilés, mains gantées, couilles protégées, fessiers rembourrés, roues monticulées, s'envolaient sur leurs machines rutilantes et jouaient aux fous du volant.

Sur English Bay, la vieille et très respectable aristocratie de West Vancouver prenait le frais abritée sous des ombrelles d'une blancheur immaculée. Tout à l'heure, ils retrouveraient leurs connaissances pour disputer, en amicale, une partie de pétanque toute britannique où les boules méridionales se transformeraient, par la grâce de Sa Majesté, en boulets rutilants fusant sur le gazon impeccable.

Quelques couples d'amoureux s'abritaient derrière les troncs d'arbres jetés au siècle dernier sur les rives du Pacifique par des bûcherons désœuvrés.

Des troupeaux de chiens se mouillaient les papattes tout en discutant de leurs performances au retour de bâton lancé en mer par temps de pluie. Depuis peu les départs anticipés étaient sanctionnés d'un saut d'obstacles de trois troncs consécutifs.

Je demandai à Monika où donc dormaient les mouettes le soir venu.

Elle ne savait pas.

Elle ne savait pas grand-chose.

La tour Molson, toujours aussi gâteuse, marmonnait inlassablement son DON'T DRINK AND DRIVE.

La propriétaire était une femme adorable. L'appartement aussi. Deux chambres, cuisine équipée, toilettes indépendantes de la salle de bains, vue sublime sur le Pacifique, prix raisonnable.

Ça vous intéresse ?

Ben oui plutôt.

Il est à vous.

Pardon ? – nous avions convenu avec Monika que c'est moi qui mènerais les négociations. Et quelles sont vos conditions ?

Un demi-mois de loyer pour la caution.

Comment ça un demi-mois ?

Visiblement elle se foutait de ma gueule.

La dernière fois avec Léa, pour un rez-de-jardin place Denfert-Rocheteau, nous avions dû trafiquer nos bulletins de salaire en multipliant nos revenus fictifs par huit, montrer les fiches d'état civil de nos grands-parents, apporter la preuve que nous étions en bonne santé, que non nous ne fumions pas, que oui on s'aimait, que le mariage était prévu pour septembre, que la musique techno nous rebutait, que oui bien sûr nous détestions les animaux, pas question de brûler notre budget pour assurer la nourriture d'un immonde chat, que oui nous avions une télévision, que bien entendu nous votions à droite, que l'état de décrépitude de la France nous désolait, que le laxisme des socialistes nous coûte-rait cher, très cher, mais oui bien sûr j'avais été scout, je le demeurais d'ailleurs, tout comme Léa, que oui mon frère Daniel pouvait se porter garant, que nous étions bien trop occupés pour procréer, que j'ab-horrais la saleté, la crasse, les toiles d'araignée, que nous changions d'aspirateur et de hotte aspirante tous les six mois, que jamais au grand jamais nous n'organisions de fêtes, d'ailleurs nous n'avions pas d'amis à peine quelque vague connaissance tout juste susceptible de venir boire un jus d'orange sur le palier et encore eût-il fallu qu'elle soit seule ou accompagnée à l'extrême rigueur de sa mère, non nous n'avions pas de neveux, de cousins, d'oncles, et bien entendu elle nous verrait tous les dimanches à la messe.

Vous êtes intéressés ?

Monika testait déjà la baignoire.

Je jetai un regard de connaisseur dans le four.

Remarquable.

Je crois bien qu'on va le prendre mais vous êtes bien sûre que vous n'avez pas besoin de références, de papiers de la banque, que sais-je, de nos visas peut-être ?

Elle me sourit gentiment.

Les clés sont sur la table de travail. Le four fonctionne au gaz. Les poubelles se vident au sous-sol. Quoi d'autre ? Payer le premier du mois. Me prévenir un mois à l'avance si vous voulez déménager. Enfin, quoi qu'il en soit, si vous avez un problème, voilà ma carte.

Je dus refaire trois fois le chèque de cinq cents dollars tellement je craignais qu'elle ne changeât d'avis au dernier instant.

Mais non, elle prit mon chèque sans même le lire, le glissa dans son sac et nous souhaita bonne chance.

Bien sûr il y avait un piège.

Je ne le découvris que la semaine suivante : l'ampoule de la cave ne fonctionnait pas.

C'était bien ma chance.

Ma première rencontre avec M. l'attaché culturel du consulat de France – M. Boitillon – s'est déroulée dans son bureau perché au douzième étage d'un immeuble miteux de Granville Street, en plein centre-ville, au croisement de Robson Street, à quelques pas de ma résidence principale.

Boitillon ? Au fond du couloir troisième à droite.

Où ça ?

A droite. Comprenez pas le français ou quoi ?

Dire que j'avais déjà oublié la légendaire hospitalité française.

France tu me manques.

Vous venez réparer la photocopieuse ?

Vous êtes canadien ?

Vous êtes le nouvel agent de sécurité ?

C'est vous Didier Van Cauwe je sais plus quoi ?

C'est pour un visa ?

C'est pour une demande de divorce ?

C'est pour un changement d'adresse ?

C'est pour s'inscrire sur les listes électorales ?

C'est pour demander une bourse ?

C'est Arriiiibert qui vous envoie ?

C'est pour quoi jeune homme ?

Boitillon ? Mais vous y êtes !!! Installez-vous, il ne va plus tarder désormais.

Une pièce sans charme, poussiéreuse, crapoteuse, où un antique fax crachotait, dans un bruit assourdissant, des feuillets à l'encre baveuse. Sur des murs crasseux se saluaient des affiches écornées d'une exposition de Toulouse-Lautrec à la Vancouver Art Gallery, un poster dédicacé de la toute première prestation dans l'Ouest canadien de Julien Clerc le 14 mai 1999 à l'Alliance française, Françaises de Vancouver je vous aimmmmmmme, la projection à la Pacific Cinémathèque du *Dîner de cons* suivie d'un débat avec Régis Debray et Jean Baudrillard sur l'épineux problème de l'exception culturelle française, l'annonce de la venue exceptionnelle de Didier Van Cauwelaert dans le cadre du prochain Salon du livre international de Vancouver accompagné dans sa croisade pour le rayonnement de la littérature française de Paule Constant et d'Alexandre Jardin.

Faites pas attention, l'héritage de mon prédécesseur. Un énarque qui chiait à l'envers.

Un énarqueur.

Boitillon avait surgi derrière moi.

Je lui ai tendu la main mais il était déjà reparti.

Une petite seconde, le consul me réclame.

Sur le rebord d'une chaise branlante, je me suis assis.

Va-t'en Simon. Va-t'en. Tu ne vois pas que tu perds ton temps. Tu es à peine français, tu es né par erreur ou par défaut, simple question de perspective, à Montreuil-sous-Bois, tu n'es pas à blâmer mais tu n'as jamais aimé la France, la littérature française, le cinéma français, la campagne française, le drapeau français, le gouvernement français, les femmes françaises, les villes françaises, les banlieues françaises, même le pastis tu ne le supportes pas et toi, grand shra devant l'Eternel, tu viens te prosterner ici, dans ce petit bout de France perdu au fin fond du Kanada – comme un misérable schnorrer –, quémander de l'aide auprès d'un fonctionnaire de la République française dont le père ou l'oncle ou son frère a dû, avec tout le zèle qu'on leur connaît, diligenter quelques gendarmes afin de venir cueillir tes grands-parents un beau matin de juillet 1942 pour une visite sans retour du Vél d'Hiv et de sa charmante et prospère périphérie nommée Drancy, Buchenwald...

Simon, Simon, Simon, cesse, veux-tu, avec ces affabulations monstrueuses, tes grands-parents n'ont jamais connu les camps.

Et en plus ils ne vivaient pas dans ce pays. Ils n'étaient même pas français. Juifs je te l'accorde mais français jamais.

Je sais.

Mais avec un peu de chance ils auraient pu.

Ils auraient dû.

Il devait bien leur rester une petite place à Auschwitz tout de même ?

Au lieu que la fratrie paternelle se retrouve à barboter dans les eaux bleutées du lac de Zurich, à commenter dépitée au café de l'Odéon l'enterrement de Joyce, le suicide de Zweig, l'agonie de Scott Fitzgerald, tandis que de l'autre côté de la Méditerranée mes grands-parents trop occupés à décortiquer des glibetes sur les plages tranquilles de Sousse ou à jouer à la skopa ou les deux en même temps avaient regardé passer d'un air indifférent des Allemands désorientés.

Au-dehors, alors que le ciel se délectait des derniers rayons opalescents d'un soleil fatigué de sa journée, tournoyaient de magnifiques goélands aux plumages impeccables, battant en retraite, en ordre parfait, tête baissée, cou rentré, vers les montagnes aux sommets cerclés de neige. Soudain, surgissant d'au-dessus des cimes, dégringolaient des hydravions, de retour de Victoria, de Tofino ou de Saltspring Island, merveilles d'élégance et d'équilibre, qui en cercles concentriques se rapprochaient, silencieux, de la surface de l'océan avant de se poser sans éclaboussures sur les eaux apaisées du Pacifique. Les Sea Buses – sorte de RER aquatiques bien pratiques – slalomaient entre des paquebots patibulaires suintant d'une rouille rouillée, attendant l'autorisation de gagner le port et de décharger leurs marchandises récoltées aux quatre coins du monde sur des parterres humides. Arrivés au débarcadère, juste devant le Pan Pacific Hotel, ils se faufileraient entre ces somptueux navires de croisière qui, à six heures tapantes, remonteraient les majestueuses côtes de la Colombie-Britannique en direction de l'Alaska.

Bien me demanda-t-il sitôt installé derrière son bureau que puis-je pour vous… monsieur Stakhanovitch ?

Sagalovitsch.

Je plaisantais, Sagalovitsch. Vous tenez une drôle de trombine. Ne me dites pas que vous vous êtes canonisé au vin rouge local. Vous n'avez pas lu la recommandation sur notre site Internet ? Ne jamais abuser du vin des autochtones sous peine de passer le reste de son séjour au-dessus d'une cuvette de chiottes. La turista à la mode canadienne.

… Un petit remontant ça vous dit ?

… Connaissez le bar du Wedgwood sur Hornby ? Un peu pète-sec mais les serveuses sont ravissantes, enfin du moins si vous appréciez les grandes duduches blondes aux lèvres turlupinées de rouge à lèvres, aux seins en service minimum, à l'arrière-train ferronné dans une minijupe noire émoustillante mais faussement prometteuse. Heureusement les fauteuils sont accueillants.

Je ne bandais pas mais commandai tout de même à Tarama une Guinness.

Je vous suis. Règle d'or du diplomate Sagalovitsch : toujours commander la même consommation que son invité. Il boit de l'eau, je bois de l'eau, il craque sur le bourbon, je craque avec lui, il s'enfile trois Pernod à la suite, moi pareil. Ce qui m'a valu quelques cuites mémorables ainsi qu'un cortège de soirées mortifères. Déguster un carré d'agneau à la Vittel s'apparente, ni plus ni moins, à un crime contre l'humanité.

Après une quatrième Guinness acoquinée désormais avec un verre de MacCallan, mariage explosif déposé avec délicatesse par Témesta, M. Postillon ne faiblissait toujours pas.

Paraît que la vue sur Vancouver au sommet du mont Seymour est tout bonnement renversante. Jamais pu y monter d'ailleurs. Le vertige. Terrible le vertige comme maladie.

Seymour dites-vous ? Mais c'est juif ça.

Vous pensez ?

Evidemment Seymour c'est comme Zemour ou comme Zemor. Juif d'Oran.

Vous plaisantez, Stabilovitsch ?

Je ne me le permettrais pas, monsieur Boidon.

Attendez, si je vous suis bien, Atalovitsch, vous iriez jusqu'à prétendre que ces braves gens auraient donné le nom d'une de leurs plus belles montagnes à un juif de surcroît pied-noir ? Impossible.

M. l'attaché culturel, je devais m'en rendre compte par la suite, fait un complexe vis-à-vis des juifs. Il me répète à longueur de Guinness qu'il est un juif chinois. Il ne jure que par Leonard Cohen et quand je lui dis qu'il ne peut rien comprendre à sa poésie, vu qu'il transpire le goy, il me traite de sale juif avant de commander une nouvelle Guinness.

Il vit seul.

Sa femme a préféré rester en France.

A Auxerre.

Elle travaille à la mairie. A l'état civil.

Une fois quitté le consulat, il se réfugie chez lui, un minable deux-pièces sur Bute, et se plonge dans les œuvres complètes de Kerouac et de Burroughs en écoutant Cohen gémir.

Toute ma jeunesse, me confie-t-il en soupirant.

J'ai passé ma vie à être un fantôme, vous savez. Que voulez-vous ? Mon père était vietnamien, ma mère française, ils se sont séparés lorsque j'avais trois ans, et depuis je crois bien que j'ai passé le temps à savoir qui je pouvais bien être. Rassurez-vous j'en sais toujours rien. Et entre nous, je crois que ça vaut mieux. Je deviens larmoyant. Excusez-moi Lovisch. Quel genre de boulot vous cherchez ?

Peu importe.

Si cela vous intéresse, je peux toujours vous recommander auprès d'Angélique Février. Elle babille tous les matins sur Radio-Canada. En charge de la culture. Jamais entendu parler ? 97.7. De sept à neuf. Devriez écouter. Une voix charmante. Elle débite connerie sur connerie mais après tout pas plus que Catherine Nay. Et tous les matins grâce à elle je me réveille avec une trique d'enfer.

… Une autre tournée de Guinness ?

D'accord.

Je disais donc que la semaine dernière, à la résidence de notre très honoré consul, pour fêter je ne sais quel départ d'un fonctionnaire à moins que ce ne fût pour célébrer l'arrivée de l'un d'entre eux, peut-être moi d'ailleurs, vous me mettez le doute avec vos questions, après tout vous avez raison c'était peut-être en mon honneur, bref, après avoir descendu une bouteille de mauvais champagne dans les chiottes du consul, grande classe les chiottes, je vous les recommande, marbrées, inodores, carrelées, avec *La Marche de Radetzky* en sourdine, je me retrouve d'office assis à ses côtés, oui à la même table, Strogovitsch. A peine le temps d'effectuer un tour de table, une administratrice indigène du musée de l'UBC, une prof de SFU de civilisation française, un cinéaste québécois indépendant, et les plats défilent les uns après les autres dans une sarabande folle digne de *La Grande Bouffe*. Pas question de perdre son temps à bavasser. Je mange, elle mange, je bois, elle boit, je laisse une main glisser sur ses bas, elle la retire, dommage, je mange, elle mange pas, je bois, elle boit, nouvelle tentative, nouvel échec. Farouches les Canadiennes. Je lui ressers tout de même à boire. Bref, après cette amicale passe d'armes arrive le dessert, une sorte de charlotte réfrigérée aux framboises, je renonce, elle pas. Je lui sers un verre. Je suis dans un état épouvantable. Ma queue me démange. J'ai envie de la serrer dans les toilettes. De la pourfendre en rythme sur *La Marche de Radetzky*. Rapide mais efficace. A tout hasard je vérifie l'état de ma queue. Raide comme l'un de ces totems sur Stanley Park. Pendant qu'elle se délecte à tutoyer son cœur de framboises, je me surprends à me demander si elle se rase la chatte tous les matins. Je parlemente un moment avec mon voisin sur le déclin annoncé de la culture française. Inutile de me le demander, je n'ai gardé aucun souvenir de cette conversation.

Un café bien serré et on s'amourache de la bouteille de Courvoisier. Autour de nous, les discussions vont bon train, je prête une oreille discrète mais je ne capte rien. J'ai soif de sa chatte. Je la veux, je la désire, je ne pense plus qu'à cela. Dans un éclair de lucidité afin d'honorer mon statut d'attaché culturel, je me mets à l'entretenir de Malcolm Lowry.

… Une autre Guinness ?

D'accord.

Je ne sais pas pourquoi Savicevic mais depuis que le Quai d'Orsay m'a parachuté ici alors qu'on me promettait Saigon, Saigon vous vous rendez compte un peu, le seul rêve de toute ma vie de merde, la consécration de mon existence de diplomate au rabais, Saigon, des putes à volonté, des jeunes filles encore adolescentes mais déjà expertes qui vous décalottent le gland avec la délicatesse d'un de vos rabbins – entre nous, Ilitsch, quel ramassis de faux culs tout de même ces diplomates parisiens –, enfin bref. Donc, en plaisantant, les yeux dans les yeux, je demande à Angélique comment donc se comporte ce sacré fils de pute de Malcolm Lowry. Croyez-le ou pas mais elle n'a pas bronché. M'a juste demandé, en s'essuyant le bout de ses doigts, c'est un ami à vous ? Angélique, Angélique vous êtes si désarmante et si délicieuse je lui ai chuchoté à l'oreille. Je passe un doigt entre ses cuisses. Elle mouille. Je vous jure qu'elle mouillait. Je la caresse. Elle retire ma main et me susurre parlez-moi donc plutôt, monsieur l'attaché culturel, de votre ami Malcolm, je suis sûre que cela doit être envoûtant.

Evidemment c'est à ce moment que le consul est arrivé et, en deux trois mouvements, ce salopard avait embarqué mon amour d'Angélique pour la présenter à l'ambassadeur, un grand échalas à mi-chemin entre Peter Sellers et Bernard Menez.

Je n'ai pas insisté.

L'ordre protocolaire.

A notre table, on continuait à se demander si la France n'allait pas se diluer dans l'Europe et on convoquait saint Louis, Charlemagne, Napoléon, Pétain, de Gaulle, Zidane.

Je me suis excusé.

Frustré, j'ai offert quelques giclées de mon foutre à la toujours irréprochable cuvette des chiottes.

A mon âge !

J'ai laissé ma voiture chez le consul et suis rentré en taxi.

Quelle soirée.

Tenez, dès demain, je vous inscris sur la liste des invités prioritaires pour participer aux dîners du consul. Moi je m'emmerderai moins et vous, vous dînerez à l'œil.

Révisez votre Lowry, à la prochaine soirée, je vous présenterai à Angélique comme étant mon vieil ami Malcolm.

Un taxi m'a ramené à la maison.

La propriétaire avait dû changer la serrure.

A l'interphone j'ai sonné.

Longtemps.

Très longtemps.

L'aube apparue, j'ai entendu un déclic salvateur.

Monika était réveillée.

Prête à aller courir.

Surtout elle sirotait un de ces infâmes jus de légumes, une texture grumeleuse d'un vert blafard tout aussi appétissante qu'un bout de tournedos se tordant de douleur au fond d'un frigo désaffecté et mis au rebut dans une décharge à ciel ouvert.

J'ai vomi sur le parquet de la cuisine.

Reçu ce matin une longue lettre de papa, postée, quatre francs trente avec un timbre à l'effigie de Victor Hugo, le 14 septembre de la poste de Denfert-Rocheteau :

Les loups sont entrés dans Paris, ville des villes, perle de l'Occident, ciel bas, pollution niveau trois, quatre, cinq, automobilistes toujours aussi débordants de conneries, taxis branchés sur Radio-Courtoisie, la voix de la France, la France aux Français, embouteillages, engueulades, entartrages, Témesta, Lexomil, Tranxène, métro ligne 666 Saint-Sulpice-Dachau-Châtelet-Auschwitz-Barbès-Buchenwald-Simplon, périphérique saturé, appels de phares, queues de poisson, bras d'honneur, Prozac, Zoloft, Viagra... Le monde court à sa perte et c'est tant mieux.

Mercredi 19 heures

"A mon cher fils canadien *de facto*,

Avant de te l'expédier, je relis cette lettre, écrite hier matin, sur l'une des tables du café de la porte d'Orléans, celui-là même qui jouxte le stade Elisabeth – havre de paix de ces merveilleux et insupportables et interminables dimanches commencés dans l'allégresse de profiter, enfin, de vous tous,

Daniel, Judith, toi, s'égayant dans le lit conjugal, allez hop, tous dans la baignoire, cris, chamailleries, rires, rires, rires, Dieu que je vous aime, dépêchez-vous, suivis par les courses au marché, toute ma petite tribu enfin réunie gambadant derrière moi, le bonheur absolu, ô vie ingrate je t'aime, retour au pas de course à la maison, les femmes à la cuisine, les garçons devant *Téléfoot*, le succulent poulet rôti, la tarte au citron meringuée, vos élans de tendresse, vos mines écœurées lorsque j'embrassais comme un jeune premier votre mère, morceau d'une existence enfin apaisée fracassée en tout début d'après-midi par les pétaradantes visites de ta tante et autres trublions familiaux, repli stratégique, chacun dans sa chambre, aux abris les enfants – où je t'ai amené, semaine après semaine, automne comme printemps, hiver comme été, voir évoluer le CA 14, valeureuse équipe, vaillante, rugueuse, rageuse, mélange cosmopolite de joueurs dévoués qui vu le niveau affiché ces derniers temps par les équipes dites professionnelles, avec toutes leurs kyrielles de joueurs honteusement surpayés, chouchoutés, sous-shootés (AH AHAHAHAAAAA !!!!!!!), aurait toute sa place dans cette soi-disant élite où je pourrais, n'étaient mes AFFAIRES, encore m'illustrer.

Hier encore, alors que je regardais, dépité, un affrontement assommant entre des Marseillais bégueules et des Monégasques monoparentaux, je me suis surpris à me demander si sur ma tombe, en lieu et place d'une formule toute couillonne, je n'irais pas jusqu'à faire graver cette magnifique phrase :

Ce ne sont pas les joueurs qui doivent courir mais la balle.

M. Johan Cruijf.

Sûrement que le rabbin trouvera là-dedans une parabole sur laquelle tisser ses bobards et autres théories fumeuses.

Peut-être, de ta lointaine retraite, tu t'étonneras qu'elle (ma lettre, j'entends, pas mon épitaphe) ne soit pas tapée comme les précédentes à la machine mais vois-tu, mon fils, de ces dinosaures accoucheurs tout de même de dizaines de centaines de chefs-d'œuvre, ton vieux père en a été dépossédé.

C'est mardi en fin de journée que le verdict de la famille, tel un diktat stalinien, est tombé : à partir d'aujourd'hui tout usage d'une machine à écrire chez les Sagalovitsch sera proscrit. Ta mère, profitant d'une de mes trop répétitives escapades à mon club d'échecs, l'a rangée je ne sais où, peut-être bien entre le service à couscous de ta grand-mère et ta collection toute décatie de *Onze Mondial* et de *France-Football*, si tant est qu'elle ne soit pas déjà en train de croupir au beau milieu d'une quelconque décharge de la banlieue parisienne.

Raison de tout ce chambardement aussi surprenant qu'inattendu (en ce qui me concerne du moins mais peut-être, après tout, es-tu toi aussi un adepte de cette infâme conspiration ordonnée au nom du progrès) : Daniel, mon fils aîné, mon premier enfant, ton félon de frère, qui dans sa générosité toute naturelle a cru nous combler de joie en nous offrant comme récompense de ne pas avoir divorcé pendant trente-cinq ans (si j'avais su que la fidélité m'étranglerait ainsi d'une manière si traîtresse ah je te jure que quelques-unes et non des moindres seraient passées à la casserole)... un ordinateur, un PC du dernier cri du dernier Christ tu veux dire Georges comme s'esclaffent les toujours très aimables et imbéciles et hystériques amies de ta mère, encore une de ces nouvelles machines inhumaines qui participent à la grande crétinisation de ce monde décidément de plus en plus merveilleux. Je résume donc : nous avions le magnétoscope (merci Daniel), le câble (merci Daniel), le téléphone portable (merci Daniel), le fax (merci Daniel), le caméscope (merci Daniel), et désormais le dernier joyau de la technologie occidentale, l'Internet.

Avec un peu de chance, pour fêter nos quarante ans de mariage, Daniel nous offrira un billet aller-retour pour Mars, Saturne ou Jupiter.

Va savoir.

Désormais je m'attends à tout.

Je tâcherai de mourir avant nos noces d'or.

La bête immonde est là-bas posée sur mon bureau en deuil de ma machine achetée à Bruxelles le 15 janvier 1960. Je le regarde, il me regarde, on se regarde. Il ne m'aime pas. Je le sens. Ne te moque pas de ton père. Je te dis qu'il me regarde d'un air étrange comme s'il me jaugeait.

Il ne m'aime pas.

Je ne l'aime pas non plus.

Quand j'ai ouvert la porte au livreur de chez Darty, j'ai d'abord pensé vu la grosseur du colis que ta mère s'était encore entichée d'une nouvelle machine à laver essoreuse, trifouilleuse, sécheuse, intuition renforcée lorsque le livreur, écarlate, m'a tendu un petit mot écrit de la main de Daniel : «Chers parents, pour vos trente-cinq ans de mariage, ce petit cadeau qui vous ouvrira grandes les portes de la modernité.»

J'ai dit au livreur de poser le colis dans la cuisine puis je suis revenu dans mon bureau où, mais cela je ne pouvais le deviner, j'ai tapé ma dernière lettre, sur ma robuste machine à écrire Olympia achetée à Bruxelles, chez Fernand Larousse, avenue du Heysel, le 15 janvier 1960 pour la somme de quinze mille francs belges payée en trois fois.

J'ai passé l'après-midi au club d'échecs puis comme à mon habitude je suis rentré vers les cinq heures pour l'arrivée, je te rassure, en cela ton départ ne l'a pas affectée, toujours aussi tonitruante de ta mère.

Dialogue reconstitué :

«Georges mais qu'est-ce que c'est ce paquet ?»

(Georges sort de son bureau, lunettes à la main, *Le Monde* calé sous son avant-bras gauche.)

«Un cadeau de Daniel.

— De Daniel ? Mais comment il est arrivé ici ?

— Darty.

— Darty ? Mais il est fou. Ça a dû lui coûter une fortune.

— Sûrement.

— Tu sais ce que c'est ?

— *A priori* une machine à laver je suppose.

— Mais enfin la mienne marche très bien, qu'est-ce qui lui a pris ?

— Au fait il y a un mot avec.

— Un mot ? Mais de qui ?

— De Daniel.»

Elle lit à voix haute : «Chers parents, pour vos trente-cinq ans de mariage, ce petit cadeau qui vous ouvrira grandes les portes de la modernité.»

«Quel amour ce fils tout de même. Judith a appelé ?

— Pas à ma connaissance.

— Simon non plus j'imagine.

— Exact.»

L'ingratitude de mes enfants je n'ai jamais vu ça. Jamais.

Moi non plus.

Un fils qui m'assassine dans le dos.

Un autre qui s'exile au bout du monde.

Et une fille ravagée encore plus mischugen que nous tous réunis.

Mais Dieu qu'elle est belle !»

Elle partage sa couche avec un goy.

Ta mère n'en sait rien.

J'ai pris une bière avec lui. Il a préféré un Perrier. Intellectuellement je le situerais entre Toubon et Bayrou.

A part ça, tout va bien.

Mes affaires sont comme toujours florissantes.

Mes maîtresses de plus en plus nombreuses.

Je perds la tête un peu plus chaque jour.

Mon froid intérieur ne me quitte plus.

Impression de vivre dans un igloo perpétuel.

Rassure-toi, je consulte, je consulte, je consulte, le gouvernement m'a octroyé une carte d'assurance universelle, depuis, comme un gamin qui aurait gagné un passe pour visiter toutes les attractions de Disneyland, je cours de ponte en ponte, de goy en goy, j'évite soigneusement les toubibs ashkénazes, j'arrive des heures avant mon rendez-vous, je patiente bien au chaud dans leur salle d'attente capitonnée, à lire magazine sur magazine, la secrétaire compatissante me sert un café délicieux, le grand manitou m'invite à entrer dans son bureau aussi vaste que notre appartement, je leur raconte, j'ai froid docteur, si froid docteur, froid à l'intérieur de mon corps, un froid atroce qui m'étrangle comme si mon sang se glaçait, vous comprenez docteur, comme si mes veines se figeaient, je fais mon Hamlet, ils sont aux anges, ils relèvent le défi, me bichonnent, m'auscultent, me palpent, rivalisent d'ordonnances, c'est au premier qui trouvera la solution (comme si elle existait !!), ils veulent tous me revoir, ils vont même jusqu'à me payer le taxi, ça me distrait, je suis la nouvelle coqueluche des cabinets médicaux de la capitale, ils ne comprennent pas, passent leur nuit à consulter moult encyclopédies et revues médicales, à interpeller leurs collègues, André lui a abandonné ses investigations depuis bien longtemps, je cherche déjà pour l'année prochaine une nouvelle maladie imaginaire juste au cas où l'un de ces schmocks trouverait un remède, improbable, impossible, inconcevable, c'est une saloperie de maladie de youpin que j'ai attrapée, à force je suis devenu accro au *Figaro-Magazine*, à *Paris-Match*, à *Biba*, à *Santé-Magazine*, à *France-Dimanche*, je me régale, aux dernières nouvelles il paraîtrait que la chienne de Drucker serait gravement malade, que Tapie se verrait bien dans un remake de *Sur les quais* réalisé par Luc Besson et que Claire Chazal rédigerait ses romans sur un prompteur.

Mes maux de tête s'entêtent à me tenir tête. (Ahahaha.)

Je résiste.

Ta mère s'inquiète pour toi.

Et moi pour ta mère.

Ton départ l'a rendue un soupçon plus hystérique. Sa tension reste normale jusqu'au moment où André lui demande de tes nouvelles. Là, c'est imparable, elle grimpe automatiquement à vingt-trois.

Elle suçote ses bêtabloquants mélangés à ses Témesta avec un plaisir démesuré.

Je crois bien que je l'envie.

Evidemment, ses conversations ne tournent qu'autour de toi, du Kanada, de ton caractère instable, de ton égoïsme, elle s'en veut, pense qu'elle n'aurait jamais dû te laisser partir, jure néanmoins que même si demain on lui offrait un billet d'avion pour Vancouver, elle n'irait pas, je n'irais pas, n'insistez pas mes enfants, mon fils m'a abandonnée et vous voulez que moi, moi sa mère, je traverse l'Atlantique pour le féliciter. Quand je pense à tous les sacrifices que j'ai dû accomplir pour l'élever celui-là et Dieu sait qu'il était mal parti dans l'existence et pas un mot de remerciement. Pas un. Rien. L'ingratitude de mon fils je n'ai jamais vu ça. Georges le jour où je meurs je t'en supplie ne lui envoie pas

de faire-part de décès ça pourrait gêner sa tran-
quillité et son besoin de, comment a-t-il dit déjà, de
re-ssour-ce-ment.

Je dois te laisser.
Le café ferme.
Internet me réclame.
Je t'embrasse.

Ton père.

P.-S. : Je n'ai pas d'argent alors inutile de m'en
demander !
P.-S. : Connais-tu l'adresse d'un site d'échecs ?
Que me conseilles-tu comme pseudo ? Dois-je dire
que j'ai des ascendances russes ? que je ne suis pas
imposable ?"

J'ai perdu ma boîte de Témesta.

Inconcevable coup du sort : je ne sors jamais sans ma boîte de Témesta.

C'est un principe fondamental, fondateur et intangible de mon existence auquel, depuis des années et des années, je n'ai jamais dérogé. Jamais.

A titre d'exemple, le feu pourrait ramper le long des murs et contraindre une légion de pompiers campés sur leur échelle télescopique à me presser de foutre le camp, je ne céderais à leurs invectives qu'une fois certain que ma petite boîboîte de petites pilules blanches de un milligramme m'accompagne dans cette extradition forcée.

Condamné à mort, au directeur de la prison qui, débonnaire – les directeurs de prison sont toujours débonnaires, c'est même le propre des directeurs de prison –, me demanderait, de sa voix désolée, quelles sont mes dernières volontés, du plus profond de ma solitude et de ma réclusion, je réclamerais sans hésiter du Témesta, millésime 1984 – de l'avis de tous les amateurs un cru exceptionnel, inégalé à ce jour. Après l'avoir savouré sans eau évidemment afin de ne pas ternir ce bouquet aux saveurs incomparables, je pourrais tranquillement regarder le visage impassible de mon bourreau – le bourreau a toujours un visage impassible, c'est même le propre du bourreau – et tandis qu'il téléphonerait au gouverneur au sujet de ma grâce, refusée bien heureusement, je continuerais à penser que si, dans la nuit glasgowienne du 12 mai 1976, Bathenay Dominique et Santini Jacques n'avaient pas délibérément visé les poteaux carrés des cages allemandes de Sepp Maier et si Rocheteau n'avait pas été blessé, contraint de jouer les seules dix dernières minutes de cette rencontre fondatrice de tous mes forfaits la cuisse meurtrie enrobée dans un bandage obscène, ma vie, à n'en pas douter, aurait emprunté une tout autre trajectoire au lieu de se fourvoyer dans le ravin d'une existence sans relief.

Peut-être aurais-je été moi aussi un gagnant, un *winner*, un battant, un enragé de la vie, un être positif, explosif, un boute-en-train infatigable, un meneur, un caïd, une petite frappe teigneuse au lieu de porter haut l'étendard de ma mélancolie témestataise, passeport à tous les renoncements, tout juste assez lucide pour considérer Zidane comme un ersatz de Cruijf, Chirac comme un personnage de *Bibi Fricotin*, toute la clique du cinéma mondial comme du sous-Lynch, la totalité de la production musicale comme du sous-Smith, l'ensemble de la littérature contemporaine comme du sous-Malcolm Lowry.

Toujours est-il que, poteaux ronds ou carrés, ma boîte de Témesta je l'ai bel et bien perdue.

Ce matin, alors que je parcourais, comme tous les matins, le site des supporters de l'ASSE, http://www.asse.fr, un e-mail de Judith m'a surpris dans ma lecture acharnée et appliquée de mes nouvelles favorites :

"Salut à toi, ô grand frère angoissé.
Ça va ? Ça va.
Tu connais la dernière ?
Daniel a acheté gros ordinateur à papamaman. Pour anniversaire de mariage. Un monstre. Avec imprimante laser. Scan disk. 3.2 bits de mémoires. CD Room. Et, évidemment, Internet dedans.
Papa est en train de se farcir les quatre tomes d'explications qui accompagnent le nouveau-né. Il n'y comprend rien. Il est au bord de la crise de nerfs. Je crois qu'il va t'appeler. Me laisse des messages interminables sur mon répondeur où il soupire, souffle comme un phoque, m'assène que l'Internet ça ne marche pas en France, que de toutes les façons les hommes sont devenus complètement fous et que si ça ne tenait qu'à lui il irait revendre cette saloperie de saloperie de machine que même avec Moïse il aurait été incapable d'écrire les dix commandements et serait redescendu du mont Sinaï en tendant, comme signe de victoire, une dis-quette indéchiffrable.

Ah au fait, cadeau bonus, Daniel leur a déjà refilé une adresse Internet georgesetbabette@laruelle.com.

Pas mignon le frérot ?

Tu es le bienvenu pour leur écrire.

Je suis passée les voir hier soir.

Papa a perdu cinq kilos.

Maman est surexcitée.

Ils ont mis le son à fond et dès qu'un message tombe (Daniel bien sûr) il y a une fracassante sirène de pompier qui se déclenche dans toute la maison, suivie d'une voix suave tout droit sortie d'une messagerie rose qui murmure que VOUS AVEZ REÇU UN MESSAGE. Et tous deux de se précipiter comme des morts de faim dans le bureau de papa de peur que le message ne s'envole.

Ils mettent une demi-heure à trouver le message et pendant ce temps-là tu as l'autre pétasse qui continue à susurrer Vous avez un message vous avez un message mais où mais où s'esclaffe maman pendant que papa, ahuri, chausse ses lunettes et regarde l'écran les yeux effarés.

Enfin, après trois engueulades, deux claquages de porte, cinq coups de fil à Daniel (mort de rire bien sûr), ils parviennent à décrocher le pompon et lisent l'e-mail de Daniel toujours aussi laconique : «Est-ce que vous avez reçu mes messages ?» Mais quels messages ? Il va nous rendre complètement chèvre. Réponds-lui, Georges. Mais tais-toi nom d'une pipe, je sais même plus si on est connectés. Comment ça connectés ? Connectés à qui ? Mais est-ce que je sais moi ?

A cet instant précis, papa dégouline de sueur, maman agite frénétiquement son éventail.

Bonne fille j'explique sommairement à papa comment tu t'y prends pour envoyer un e-mail. (En chœur mais c'est quoi un e-mail ?)

Puis vient le temps de la réponse. Une heure, il leur a fallu une heure pour se concerter sur la teneur de leur message. Tout cela pour dire, je les cite : «Nous sommes très touchés par ton geste mais il ne fallait pas, vraiment pas.»

Tu m'étonnes.

Maman a été voir André ce matin. Sa tension est remontée en flèche et papa a de plus en plus froid.

Intérieurement j'entends.

Bref je me suis régalée et, pour la première fois depuis ton départ, j'en suis arrivée à regretter ton absence.

Finalement j'ai dû les laisser.

Jean-Marc m'attendait en double file.

Quoi ???

Comment ça qui c'est ce Jean-Marc ?

Tu ne te souviens pas ?

Moi non plus.

Il est gentil mais bon rassure-toi ça ne va pas durer.

Je crois que je le terrorise.

C'est possible ça ?

Enfin ça me passera comme d'habitude.

J'en avais juste marre de rester seule à me demander si je te rejoins ou pas. Si je m'engageais dans Tsahal. A réfléchir jusqu'au matin, en suçotant deux paquets de Camel, sur mon complexe d'infériorité/supériorité.

J'avais aussi juste envie qu'un homme me serve mon café au lit.

Et au passage amène mes fringues à la laverie.

C'est compréhensible non ?

Je l'ai rencontré chez Julia (elle t'embrasse).

Il m'a tout de suite plu.

Un peu empoté.

Mal à l'aise.

Grand.

Efflanqué.

Myope.

Timon.

Son nom de famille.

Tu te rends compte un peu.

Tous les soirs Judith Sagalovitsch se fait sauter par Jean-Marc Timon.

Ce n'est pas beau ça comme exemple d'assimilation ?

Il a cinq cartes bleues.

Cinq.

Plus les cartes Total, Elf, Cofinoga, Conforama, Auchan, Leclerc.

Jamais vu un portefeuille aussi lourd.

On dirait un cartable de lycéen.

Enfin je l'aime bien.

Il est prothésiste dentaire.

Il ne parle pas trop.

Il fait la vaisselle et bien sûr il m'adore.

Il me couvre de cadeaux.

Question pieu ce n'est pas Einstein.

Beaucoup d'efforts pour pas grand-chose.

Grâce à Dieu ça ne dure pas longtemps et juste après il s'endort un sourire béat sur ses lèvres.

Il m'emmène ce week-end à Marrakech.

Dans deux semaines je le quitte.

Allez, bon courage, cher aîné adoré et donne-moi de tes nouvelles de temps en temps même si oui je sais la France et les Français sont tous des cons.

N'oublie pas d'appeler les nouveaux Bill Gates de la Goulette pour leur souhaiter bon anniversaire.

> Judith, ta sœur unique
> mais néanmoins préférée."

Il n'était pas juif.

Il s'appelait Ivo David et il n'était pas juif.

Il avait la démarche d'un goy, le regard d'un goy, l'allure d'un goy, les mains d'un goy, la bouche d'un goy, le nez d'un goy, les narines d'un goy, les oreilles d'un goy, une chemise de goy, une cravate de goy, une montre de goy, un bureau de goy, un stéthoscope de goy, une fenêtre de goy, des diplômes de goy, des encyclopédies de goy…

Il était goy.

C'est le nouveau système emprunté par les goys pour s'approprier en douce un cheptel de clients juifs c'est ça ? Emprunter un nom de sale youpin, l'inscrire bien en évidence dans le bottin, en grosses lettres capitales, afin d'attirer le youtre, en manque de tranquillisants, dans ses filets.

Vous n'êtes pas juif ?

Pardon ?

Je suis sûr que l'enfant de salaud avait très bien entendu et savourait en silence son triomphe minable.

Usurpateur.

Sitôt relâché, j'irai le dénoncer au centre Wiesenthal, au conseil de l'Ordre, à la jeunesse juive de Vancouver, au Conseil représentatif des juifs canadiens, au Mouvement pour le renouveau du sionisme en Alaska, à l'Amicale des anciens de Sousse, à l'ONU, au *National Post,* au *Vancouver Sun,* à *Libération,* à Leonard Cohen, à Mordecai Richler, à Matt Cohen, à David Homel, et s'il le faut j'interpellerai Bob Dylan, Iggy Pop et Lou Reed afin qu'ils dépêchent Neil Young à Ottawa pour convaincre Jean Chrétien de le déchoir de sa nationalité canadienne.

Vous n'êtes pas juif n'est-ce pas ?

Non pas vraiment. Luthérien. Pourquoi cette question ?

Luthérien ? Décidément c'était mon jour de chance : un collectionneur de Témesta m'avait ravi mes pilules de survie et désormais j'étais l'otage d'un membre d'une secte hitlérienne. Luthérien ? Je savais même pas comment ils sacrifiaient les juifs ces gens-là. A la broche ? Avec des allume-barbecue ? Au Karcher ?

Je songeai un moment à rebrousser chemin mais l'idée même d'affronter l'ascenseur sans une ordonnance à chiffonner était une épreuve trop éprouvante pour mes nerfs malades.

Qu'est-ce qui vous amène, monsieur Sagalovitsch ? Vous sembliez troublé au téléphone.

Je suis juif.

Ce n'est pas grave.

J'ai perdu ma boîboîte.

Votre ?

Boîboîboîboîboîte.

Boîte ?

Affirmatif.

Boîte de quoi ?

Je suis juif et vous vous ne l'êtes pas, n'est-ce pas ?

C'est exact.

Je vois.

Que comportait cette mystérieuse boîte ?

Des pilules.

Quel genre ?

Juives.

Je vous demande pardon ?

Blanches.

Et elles avaient bien un petit nom ces pilules ?

Tarama. Tabatha. Taratata. Témesta. Témesta.

Témeta ?

Témesta. Perdu. Tout perdu. Volé.

Un instant s'il vous plaît.

Il s'est tourné vers son ordinateur, a pianoté quelques mots, m'a regardé d'un air vaguement souriant, s'est emparé d'une grosse encyclopédie, a feuilleté les pages, s'est arrêté sur une, a inscrit quelque chose sur un carnet et s'est retourné vers moi.

Voilà. Nous y sommes. Du Lorezapalm. Afin d'apaiser l'anxiété. Vous souffrez d'attaques de panique, d'angoisse n'est-ce pas ?

Je suis juif.

Ce n'est pas contagieux, je vous rassure.

Hein ?

Combien de pilules prenez-vous quotidiennement ?

Une. Deux. Non trois. Trois. Comme dans trois fois un.

Trois milligrammes ?

Trois.

Vous l'avez perdue dans quelles circonstances cette boîte ?

A la synagogue. Au bord de la mer. A Stanley Park.

A quel âge avez-vous arrêté de faire pipi au lit ?

Il y a trois jours. Trois ans. Trente ans. Comme dix fois trente. Pipi, plus pipi. Maman contente. Papa aussi. Rocheteau aussi.

Vous êtes à Vancouver pour longtemps ?

Trois jours. Trois mois. Trois ans. Comme dans un plus un plus un.

Je vais vous prescrire du Lorezapalm deux milligrammes à prendre midi et soir.

Midi et soir.

N'augmentez pas les doses sans me prévenir.

Pas augmenter les doses. D'accord.

Je vous revois dans quinze jours, cela vous convient ?

Quinze. Comme dans trois fois cinq. Ou dans deux fois sept plus un. Ou alors trois plus trois plus trois plus trois plus trois. Quinze.

Prenez bien soin de vous et profitez de Vancouver.

D'accord.

J'ai payé quarante dollars à son assistante. L'ascenseur était hors service. Dehors il pleuvait. J'ai couru jusqu'au Safeway le plus proche. J'ai parcouru *Esquire* et *The New Yorker* en attendant que le pharmacien m'appelle pour récupérer ma boîte. Elle n'était pas blanche mais orange fluo et, chouette, sur l'étiquette mon nom était inscrit avec ma date de naissance ainsi que la posologie recommandée par mon docteur hitlérien. J'ai acheté une bouteille de Coca. Et lentement j'ai avalé ma première pilule de ma nouvelle vie vancouvéroise.

J'ai traîné toute la journée dans l'appartement.

Monika s'était inscrite pour une randonnée en kayak.

Vers onze heures il a commencé à pleuvoir.

Le brouillard est tombé, l'océan a disparu.

Les mouettes ont déserté le balcon.

Je leur ai balancé une demi-douzaine de bagels rassis par la fenêtre mais, flemmardes, elles n'ont même pas bronché.

On ne bouge pas les copines, c'est sûrement un piège. Mieux vaut rester planquées sous le pont de Burrard.

Le concierge est venu me dire qu'il ne fallait pas donner à manger aux mouettes. Pas bon. Voisins pas contents. Et après venir crier à moi. Alors après moi pas content non plus. Et moi obligé de crier sur vous. Moi m'en fous mouettes. Jolies les mouettes. Les gens ici un peu zinzin d'accord ? D'accord.

En automne, il ne fait pas froid à Vancouver. C'est ainsi. Il faut le savoir. Au début, cela surprend. Et puis on s'y fait. Ou bien on ne s'y fait pas. De toutes les façons on n'a pas le choix.

Parfois le thermomètre s'affole et taquine les deux ou trois degrés. Mais en général cela ne dure pas.

La plupart du temps, le ciel reste gris, les nuages aussi, la mer aussi, les mouettes aussi, les gens aussi, le brouillard s'emberlificote dans les rues aveugles,

les voitures éclaboussent les trottoirs de leurs phares qui dégueulent leur blanc vitreux sur les chaussées mouillées, la pluie tombe sans arrêt, les parapluies s'amourachent au détour d'une rue puis divorcent au moment de monter dans le bus, la nuit s'embourgeoise et prend ses aises dès quatre heures de l'après-midi, une lune toute falote, l'air embarrassée, penaude, se demandant bien ce qu'elle fout là, coulisse derrière la masse engourdie des nuages, de temps à autre les montagnes, badigeonnées de neige, profitent d'un discret rayon de soleil pour se montrer, ce n'est pas grand-chose, à peine une furtive apparition, juste de quoi vous faire regretter que des pistes toutes fraîches vous attendent pour faire le mariolle dessus – si seulement votre compte en banque ne jouait pas perpétuellement au chevalier à la triste figure.

Je n'aime pas skier mais tout de même, à la longue, c'est énervant.

Une fois la nuit tombée, les pistes s'illuminent, d'un seul coup c'est Noël sur terre, les montagnes dessinent dans la nuit profonde des traînées blanchâtres, virginales, immaculées, c'est beau, très beau, bien sûr les ours grognent, quelques-uns se rebellent et chopent sur leur passage un skieur égaré, un snowboarder, un monoboarder, ils le jaugent du bout de leurs pattes, le reniflent, le questionnent, c'est toi l'emmerdeur qui allumes tous les soirs les projecteurs, pas de réponse, le brave montagnard s'en tire avec un vol plané de toute beauté, les ours encore énervés repartent, s'enfoncent à travers l'épaisse forêt et s'accordent un bain de minuit dans un de ces lacs mirifiques nichés au creux des sommets, au centre-ville tout le monde s'émerveille à la vue de ces neiges éternelles, les amoureux se serrent la main encore plus fort et regardent en silence ces lumières célestes, ils restent là immobiles, à quoi pensent-ils au juste ? Au destin, à Dieu, à Mère Nature si belle, si généreuse, alors que les hommes sont si égoïstes, c'est horrible, un jour tu vois ces forêts disparaîtront, par notre faute, c'est terrible tu sais, nous sommes des assassins, non pas nous mon amour, mais si nous aussi, bien sûr que nous aussi, ils s'embrassent, ils frissonnent, d'un seul coup ils sont devenus tristes, leur mélancolie tout adolescente dégouline sur leurs visages poupins, leurs traits s'affaissent, leurs muscles s'affaiblissent, ils regardent le trottoir, ils ont envie de retrouver leur lit et leur musique, ils n'ont pas vingt ans et ils ont l'air désespérés.

Même à Vancouver, la vie n'est pas toujours facile.

Hier, 3 octobre, c'était mon anniversaire.

J'ai toujours détesté le jour de mon anniversaire.

Je sais c'est d'un convenu.

Enfant j'imagine que comme tous les enfants qui ont eu la malchance d'être aimés et chéris et choyés et gâtés et admirés et pourris par leurs parents adorés, j'ai dû aimer cela.

L'excitation de la veille.

J'arrive pas à dormir, Daniel.

Daniel tu dors ?

Non.

Tu veux parler ?

Non.

Pourquoi ?

T'as rien dans la tête.

Pourquoi tu dis ça ?

Parce que c'est vrai zboub.

Va te faire foutre.

Ouais c'est ça toi aussi.

Bonne nuit frérot.

Bonne nuit, p'tit con.

Bonne branlette.

Va te faire foutre.

Puis au matin le réveil en fanfare.

Les petits coups répétés à la porte, maman qui s'approche.

En robe de chambre.

Bigoudis entremêlés dans ses cheveux.

Bon anniversaire mon fils, elle me chuchote en me caressant les cheveux. Tu as quel âge toi déjà ?

Douze ans maman.

Douze ans, t'es bien sûr ?

Oui maman.

Sûr de sûr ?

Oui.

Mazeltov mon fils !!!!!! Que Dieu te garde.

Il a douze ans mon fils adoré, vous entendez ?

L'année prochaine ce sera un homme.

Viens mon fils relève-toi un peu.

Laisse-moi dormir maman s'il te plaît.

Non mon fils. Il est déjà neuf heures.

J'ai encore sommeil.

Ah Simon tu vas pas commencer à m'énerver je t'en prie. Déjà que ton père a la migraine et que…

D'accord d'accord maman.

Redresse-toi un peu.

Elle me tire le bout des oreilles.

Douze fois.

Je ferme les yeux.

Je souffre en silence.

Je serre les dents.

Je hais cette tradition stupide.

Judéo-arabe ? Juive ? Arabe ? Tunisienne ? Barbare ?

J'ai juré que jamais au grand jamais jamais je n'infligerai un tel supplice à mes enfants.

Tu entends, celui ou celle qui va venir me pourrir le reste de ma vie : jamais je ne martyriserai tes oreilles.

A neuf je dis : maman je t'en supplie arrête j'ai les oreilles en feu.

Non c'est péché mon fils. Allez encore trois et c'est fini.

C'est bien mon fils tu es un grand garçon.

Merci maman.

Allez viens Daniel, sois pas timide je t'en prie, c'est ton frère, quand je serai morte ce sera ton seul ami tu sais ça au moins, allez approche, qu'est-ce que tu as à faire ton begma ce matin, regarde-moi le regard ahuri que tu as, on dirait ton père le jour de notre mariage, allez dépêche-toi viens souhaiter bon anniversaire à ton frère.

Daniel s'exécute sans conviction.

Il compatit.

Il est passé par là le mois dernier.

Pourtant je ne l'avais pas épargné.

Je vois bien sur son visage qu'il me plaint.

Je m'en souviendrai.

Je dis ça chaque année.

Judith, du haut de ses sept ans, n'a pas les mêmes égards.

Elle s'agrippe à mes oreilles comme une naufra-gée à son radeau de survie et me secoue comme un prunier.

Maman rit aux éclats.

Doucement Judith. Doucement, si tu continues tu vas finir par me le rendre sourd.

Une fois maman partie enlever ses bigoudis, Judith se prend douze baffes en retour.

Elle ne pleure pas.

Elle ne pleure jamais.

M'en fous pas mal.

Enfin j'ai le droit de déballer les cadeaux.

Le ballon de foot.

Tango 1978.

La paire de crampons.

Le maillot de Rocheteau, numéro sept griffe dans le dos, Manufacture de France scotché au torse.

La chemise FIFA de Borg.

Les essuie-poignets de Connors.

Les baskets de Daniel.

La Maxply Dunlop de papa.

La Strato de chez Rossignol de mon cousin Robby.

Le dernier roman du Club des cinq.

La Pléiade de Dickens et un recueil de nouvelles de Scholem Aleikhmen offert par mon oncle avec des illustrations de Chagall.

Les échecs par Tartakover.

Ça à coup sûr c'est encore papa.

L'année dernière c'était les échecs expliqués par Bobby Fischer.

L'année d'avant...

A son grand désespoir je n'ai jamais vraiment aimé les échecs.

Je m'énerve trop vite.

Pas la patience.

J'ai définitivement arrêté de jouer le jour où, sûr archisûr de battre Daniel, il a trouvé le moyen de me mettre pat.

C'est terrible le pat.

Terrible.

Pire qu'une séance de penalty.

C'est la guillotine qui, prise de pitié, s'arrête à mi-chemin.

C'est maman qui hurle à travers la porte : c'est prêt, au moment précis où je menais à bon port mes attouchements discrets.

Daniel a fanfaronné.

J'ai pas supporté.

J'ai pris ma raquette, j'ai allumé les projecteurs du court numéro quinze, j'ai rempli un seau de balles, puis je me suis mis à servir.

Ce soir-là j'ai terrassé Borg 6-3, 6-3, 6-1.

Je n'ai jamais aussi bien dormi.

De nous trois, seule Judith aime jouer avec papa.

Elle, elle ne réfléchit pas, elle répond du tac au tac, elle joue à l'instinct, elle avance ses pièces d'une manière spontanée, et sitôt que papa a joué, elle rétorque sur-le-champ par un déplacement rageur d'une de ses pièces.

Elle n'a aucune tactique, aucune stratégie, aucun plan, elle attaque par tous les côtés, on dirait Piazza remontant le ballon, et pourtant de temps en temps elle arrive à déstabiliser papa.

Elle ne veut pas étudier les grands maîtres.

Papa lui offre les livres de Fischer, de Karpov, d'Alekhine, de Tartakover mais elle ne les ouvre jamais.

Tous des cons.

Papa lui dit qu'elle ne progressera jamais si elle n'étudie pas.

Les échecs ça ne s'improvise pas.

Ça se travaille.

Comme le piano.

Elle hausse les épaules, m'en fous, moi je m'amuse comme ça.

Le jour de mon anniversaire la morveuse est consignée dans sa chambre.

Décision parentale.

Pas juste elle dit avant de claquer sa porte.

Je respire.

Seuls les copains et la copine ont le droit de célébrer ce jour de souffrance avec moi.

Le Coca coule à flots.

Le Fanta. Le Banga. Le Tang. L'Oasis. Le Fruité.

Les bougies.

Le gâteau d'anniversaire de maman qui vous plombe sur place.

Judith, sortie de sa chambre, qui souffle à ma place et se récolte une bonne paire de baffes.

M'en fous pas mal.

Les parents qui viennent chercher les copains la copine.

Maman qui les reçoit dans le salon.

Papa se terre dans son bureau.

Par la porte vitrée qui sépare le salon de la salle à manger, on les regarde tous un peu gênés.

Ils nous sourient à travers la vitre, agitent leurs mains en affichant des sourires imbéciles.

Dire que plus tard on sera comme eux.

C'est inéluctable paraît-il.

C'est effroyable.

Plus tard, le repas escargots-rôti-pommes frites-tarte au citron meringuée servi dans l'immonde service de porcelaine reçu à leur mariage.

Je ne me marierai jamais.

Encore les bougies.

Encore Judith qui les souffle avant moi.

Encore des baffes.

Le cinéma avec toute la tribu.

Les disputes pour choisir le film.

Finalement je décide.

Je tranche dans le vif.

A nous la victoire.

C'est quoi ça ? demande maman.

Un film sur une équipe de foot pendant la guerre qui bat les Allemands.

Ah oui comme c'est intéressant.

Papa regarde ailleurs.

C'est avec Max von Sydow.

Papa me regarde.

C'est vrai ?

Oui et avec Michael Caine aussi papa.

Le dernier film de John Huston.

Il bondit de sa chaise, affiche un grand sourire, allez habillez-vous les enfants.

Daniel soupire, dit : ben si c'est comme ça moi je vais me coucher, et hop, une baffe de maman en pleine tronche, ça va pas, c'est comme ça que tu te comportes le jour de l'anniversaire de ton frère ? Tu n'as pas honte mon fils ?

Maman, il est nul ce film. Et puis j'aime pas le foot.

Et puis j'en ai marre des films sur la guerre.

A chaque fois c'est pareil, finalement, on va toujours voir que des films sur la guerre et les nazis.

J'en peux plus des nazis.

Baffe de maman.

Soupir de papa.

Judith qui demande : c'est quoi déjà les nazis ?

Tais-toi mon fils tu me fais honte.

Va t'habiller.

Dépêche-toi.

Et ne discute pas.

Aujourd'hui c'est ton frère qui décide.

Alors pour ton frère tu vas faire un effort.

Et en plus tu sais quoi ? Moi je suis sûre que c'est un très bon film qu'il a choisi ton frère.

Papa qui part deux heures avant.

Mais je t'en prie Georges tu peux me dire où tu vas là ?

Prendre les billets.

Mais le film est dans deux heures Georges, dans deux heures !

Mais tu ne te rends pas compte de la queue qu'il va y avoir. Moi je sais comment ça se passe. La foule. L'hystérie collective. Les embouteillages. Allez je vais prendre les billets. Je vous attends. Ne soyez pas en retard.

Il nous embrasse.

Vous savez quoi mes enfants, j'ai une très mauvaise nouvelle à vous annoncer : votre père est fou. Pas fou. Fou.

Elle nous conduit en voiture.

Juste devant le Gaumont-Montparnasse, elle trouve une place du premier coup.

Il n'y a pas de queue, juste papa et un couple frigorifié derrière lui.

Il agite les billets d'un air triomphant.

Il est gelé.

Son nez goutte.

Vous avez vu votre père un peu ? Grâce à lui, on sera bien placés.

Franchement, mon chéri, heureusement que tu es venu plus tôt.

Tu avais raison.

Sans ça je ne sais même pas si on aurait pu entrer.

Elle nous adresse un clin d'œil.

Tu m'agaces.

Ils s'embrassent.

Je baffe Judith pour faire passer le temps.

Elle se colle à moi.

Fort.

Très fort.

Je l'aime ma sœur. Mon frère aussi. Mes parents aussi.

A huit heures on nous laisse enfin entrer.

La salle est minuscule.

Je suis assis entre papa et maman.

Alors que les publicités défilent, je me demande s'ils s'aiment.

Je crois que oui.

Judith me tire la langue.

Daniel fait mine de scruter son majeur tout en le dirigeant vers moi.

Il se chope une baffe de maman.

Bien fait.

Il n'a pas le temps de réagir que déjà le film commence.

Maman m'embrasse sur la joue.

Papa réclame le silence.

La glace à l'entracte.

Les Chocoletti à la noisette pour Daniel.

La paire de baffes pour Judith.

M'en fous pas mal.

Le retour à la maison.

Papa qui ne trouve pas de place pour garer la voiture.

Maman qui s'énerve.

Papa aussi.

Une baffe pour Judith.

Elle s'en fout, elle dort.

Un tour de pâté de maisons. Rue du Lunain. Rue Adolphe-Focillon. Rue Marguerin. Deux fois. Trois fois.

Là hurle maman.

Pas la place répond papa placidement.

Incapable murmure Judith dans son sommeil.

Baffe.

M'en fous je dors.

Finalement il renonce.

Il nous laisse en bas de la maison.

Maman s'endormira seule.

Papa va filer tout droit à Montrouge.

Se garer près du cimetière.

Rentrera à pied.

Au matin, il aura déjà oublié où il s'est garé.

Passera la matinée à rechercher la Toyota.

S'il est en forme il appellera la police pour s'offusquer qu'on lui ait volé sa Toyota.

Simon je veux un enfant de toi elle avait dit.

Simon ça va ?

Simon, Simon, j'ai bien réfléchi, je veux que tu sois le père de mes enfants.

Simon tu m'écoutes ?

La plage était magnifique ce dimanche au Touquet et encore plus magnifique était l'embouteillage où nous étions coincés depuis plus d'une heure maintenant.

Simon ?

Je conduis.

Non Simon tu ne conduis pas : nous sommes au point mort depuis une demi-heure.

Mais justement Léa. Justement. C'est toujours ainsi que les accidents surviennent, on se relâche, on se relâche, on se relâche et une seconde après hop on a basculé dans le fossé. Tu sais qu'une seconde d'inattention est susceptible de gâcher des vies entières. Des vies entières, Léa.

Simon, est-ce que pour une fois, pour une toute petite fois dans ta vie, tu peux arrêter de te foutre de moi et répondre à la difficile, je te l'accorde, mais essentielle interrogation : à savoir petit un, Simon ne veut pas d'enfants de Léa, petit deux Simon ne veut pas d'enfants du tout.

Hein ?

Simon, tu m'as très bien entendue.

T'as de la monnaie pour le péage ?

Tu m'emmerdes.

Je sais.

Pourquoi tu ne veux pas d'enfants ?

Pourquoi tu demandes ? Pourquoi ? Pourquoi ? Pourquoi veux-tu que mon sperme qui souffre de signes manifestes d'une angoisse traumatique que mon psychanalyste attribue à une incompatibilité métaphysique avec le cosmos sans oublier le silence de Dieu pendant la Shoah rajoutée à cela la menace nucléaire que représentent la Corée-du-Nord, l'Iran, la Syrie, le Pakistan, comment veux-tu que je donne la vie à un enfant qui sera soit autiste soit maniacodépressif soit hyperactif soit végétatif soit idiot soit inculte, un enfant qui un jour viendra me dire Papa je t'aime beaucoup mais tu m'emmerdes, un enfant à qui j'interdirai l'usage de tout appareil électrique ou à moteur, un enfant qui devra rester dans sa chambre de jour comme de nuit sous la surveillance d'une caméra à infra-rouge, un enfant que je couverai jusqu'à ma mort et qui sera incapable d'acheter du pain à la boulangerie, qui vivra sous perfusion constante de tranquillisants, d'antidépresseurs, d'anticoagulants, un pauvre petit juif sans défense, bigleux, myope, sourd, handicapé, myopathe, cancéreux, hémophile, unijambiste, manchot, autiste, chauve, morveux, débile, fauché, chômeur, capitaliste, arriviste, boursicoteur, drogué, cocaïné, alcoolique, ivrogne, téléphage, analphabète, illettré, muet, sauvage, meurtrier, criminel, despote, antisémite, antisioniste, pro-arabe, pro-syrien, pro-palestinien, supporter de Marseille, du PSG, de Rennes, de Guingamp, germanophile, inverti, homosexuel, asexué, converti, marié à une goy, à une Palestinienne, à une Syrienne, enrôlé dans Tsahal, mort à Ramallah, kamikaze, terroriste, fou de Dieu, rabbin, révisionniste, réactionnaire, fasciste, branleur, amateur de techno, de hip-hop, de trip-hop, de zboub-hop, de heavy métal, de Frédéric François, de Claude François, pédophile, exhibitionniste, violeur, impuissant, chauffard, camionneur, cascadeur, acteur, travesti, travelo, transsexuel, trisomique, chanteur, castrat, eunuque, parapsychologue, gourou, maître à penser, intellectuel, intellectuel de droite…

Simon, à quoi tu penses ?

Hein ?

Tu es fatigant Simon. Une fois, une seule petite fois, tu ne peux pas agir comme un adulte responsable et te montrer franc vis-à-vis de toi même ?

Franc comment ?

Franc comme dans Franc. Honnête. Responsable. Adulte.

Tu ne veux pas baisser ta fenêtre je ne me sens pas très bien. Je crois que je fais une chute de tension. J'ai oublié de prendre mon magnésium ce matin. Tu n'as pas oublié la mallette de médicaments à l'hôtel au moins ?

Si tu veux savoir, j'ai même balancé ta boîte de Témesta dans la cuvette des toilettes. Maintenant je me tais et toi tu roules.

J'ai roulé.

J'ai même trouvé de la monnaie pour le péage.

Je me suis arrêté à la première aire d'autoroute.

C'était une blague.

Le Témesta elle ne l'avait pas jeté.

J'ai trouvé une place pour me garer après seulement cinquante-cinq minutes de recherche et à moins d'un quart d'heure en bus de notre studio.

On a fini le reste du rosbif devant *L'Équipe du dimanche* que j'avais pris soin d'enregistrer.

Ryan Giggs en avait planté trois contre Blackburn.

Nous nous sommes couchés.

Léa a refusé que je la prenne dans mes bras.

Je me suis endormi en rêvant de mon fils vêtu d'un pyjama rayé marquant le but de la victoire de Saint-Etienne contre le Bayern de Munich.

Juste au moment où il partait prendre sa douche, j'ai bondi hors des tribunes et je lui ai crié : "C'est la faute à ta mère. Je suis innocent. Je n'ai jamais voulu de toi. C'est ta mère qui m'a violé."

Simon qu'est-ce qui t'arrive ?

Hein ?

Qu'est-ce que tu as à gesticuler de la sorte ?

Rien, rien.

Juste un mauvais rêve.

J'ai eu trente et un ans et même pas pu m'empiffrer d'escargots congelés.

J'ai même pas pu baffer Judith.

Obliger Daniel à voir *Shoah* en intégralité.

Monika est végétarienne.

Monika a refusé de remplacer Judith.

Monika n'a pas voulu m'accompagner voir *La Liste de Schindler*.

Monika m'a traité de pervers quand je lui ai demandé de maltraiter mes oreilles.

Trente et un ans.

Un âge bâtard.

Un âge qui ne veut rien dire.

Comme le numéro trois dans une équipe de foot.

Arrière gauche tu seras.

En touche tu dégageras.

C'est tout ce qu'on te demande.

Moi j'ai jamais demandé cela.

J'ai toujours été partisan des relances propres.

Dans mes pieds.

Ce n'est pas les joueurs qui doivent courir mais le ballon.

Trente et un ça fait pitoyable.

Minable.

Un âge au rabais.

Ça ressemble à ces coupons de réduction qu'on trouve dans les supermarchés et dont on ne sait jamais s'ils servent pour cet achat ou pour le prochain ; au bout du compte, on ne les utilise jamais et ils finissent généralement dans le caniveau.

A trente et un ans mes parents concevaient Judith.

Daniel achetait son deuxième appartement.

Rocheteau continuait à affoler les défenses.

Trente-trois ans c'est déjà mieux.

Le sommet de la trentaine paraît-il.

L'âge d'or.

Jamais compris pourquoi.

Si Jésus.

Mais j'ai jamais bien compris Jésus.

Il était juif ou pas finalement ?

Trente et un ça fait chiffre maudit du loto.

Ça ne veut rien dire.

C'est ni jeune ni vieux. C'est rien. Une impasse. Un trou noir. Un passage à vide. L'adolescence vous fait un bras d'honneur et la maturité se dérobe encore. On sait déjà que plus rien ne bougera, que les jeux sont faits, irrémédiablement faits, qu'il ne nous reste plus qu'à survivre désormais, la fatigue est déjà là, la lucidité impitoyable aussi sans jamais être atténuée par la sagesse du vieil homme. La mort empeste. On la renifle, on la rejette, on feint de l'ignorer. On s'affole, on parcourt le monde, on baise ce qu'on peut, on s'affaire, on monte des sociétés, on boit du whisky douze ans d'âge, on s'oblige à prendre sa carte au gymnase club, on échange toute sa panoplie de vinyles des Smith contre la collection complète de Brahms, on espère, il le faut, on a foi en la vie, en l'avenir, on regarde ses enfants, putain ce qu'ils sont beaux et intelligents, on s'oublie, on ne s'affronte pas, ce n'est pas le moment de régler ses comptes, plus tard, toujours plus tard, pour l'instant il faut profiter de la vie, putain, il faut la bouffer, mordre dedans, s'enivrer de tout et de rien, être vivant, être heureux, surtout être heureux.

J'aime mon optimisme.

Je crois que je vais détester ma trentaine.

Autant que ma vingtaine.

Beaucoup plus.

Je vais être encore plus chiant, encore plus geignard, encore plus impossible à vivre.

De ce côté-là je me sens encore plein de ressources.

"A mon aîné de frère du Grand Nord canadien parti, seul, sans traîneau, sans peau de phoque jetée sur ses frêles épaules, sans flasque de vodka, sans chiens de traîneau, sur les traces du Jack London de son enfance.

Pas le temps de te demander de tes nouvelles.
Tu vas bien ? Tu vas bien dis ? Tu vas bien hein dis ?
Tant mieux.
Comme prévu, j'ai rompu avec la carte bleue de Jean-Marc.
Figure-toi qu'il envisageait, m'a-t-il confié le plus sérieusement du monde après m'avoir tout de même invitée à la Tour-d'Argent, de se convertir et de demander ma main à papa.
Au dessert, un peu pompette, après deux bouteilles de château-margot, je lui ai chuchoté : Jean-Marc, ce n'est pas ta queue qui est circoncise, c'est ton cerveau.
Il venait de parcourir le Talmud illustré pour les débutants et trouvait que la religion juive était, je le cite, vachement sympa et hyper-cool comparée à la sienne.
J'ai tout de suite pensé à la tête de papa : «Cher monsieur, moi Jean-Marc Timon, futur David Timon-dchakoschwitz avec un *z* à la fin, un *z* comme dans

Zohar, j'ai le grand, le très grand honneur de demander votre fille en mariage.»

Remarque, papa aurait été content : il aurait pu lui emprunter de l'argent sans sourciller au grand soulagement de Daniel, notre Banque populaire à tous.

Je l'ai quitté ce matin.

A l'aube, je me suis enfuie de son modeste cinq-pièces de l'avenue Georges-V.

Il dormait comme un nouveau-né.

J'ai laissé un message sur son portable : Jean-Marc, oublie-moi, je ne suis pas faite pour toi, je pars en Israël ce soir. Ne cherche pas à me revoir. Tu mérites mieux que moi.

A cette heure-ci il doit me chercher du côté de la porte de Damas.

Se laisser convaincre par un imposteur de rabbin d'insérer une liasse de billets de cent dollars dans le mur des Lamentations tout en lisant le Talmud en alphabet phonétique.

Errer de synagogue en synagogue.

Et ne commence pas à me dire : le pauvre, tu n'as pas de cœur Judith et gnagnagnagnagna…

Si ça peut te rassurer, c'est tout à fait le genre d'illuminé à tomber amoureux d'Eretz Israël, à investir toute sa fortune dans la construction de colonies, à jouer aux fléchettes sur le portrait d'Arafat dans les bars branchés de Tel-Aviv, à prendre la carte du Likoud, à épouser une vraie juive pratiquante, et même à s'engager dans Tsahal.

A propos, papa a lu que Sharon, effrayé par le spectacle après tout très bonhomme et sans conséquence de synagogues en feu, offrait une somme substantielle à tous les juifs français décidés à émigrer.

Mère a dit Geooooooooooooooooooooooooooooooooooorgeeeeeeeeeeeeeeees tu m'entends Geoooooooooooooooooooooooooooooooooooooooorgeeeeeees moi vivante il n'en est pas question. Concentre-toi plutôt sur tes affaires.

Père a vite filé retrouver Kasparov.

Au fait, prends ton temps pour leur envoyer ton premier e-mail, ils éprouvent encore quelques difficultés avec les autoroutes de l'information, dixit papa.

Pourtant, Daniel leur a offert une initiation à domicile.

Sans résultat pour l'instant.

Ma thèse n'avance pas mais alors n'avance pas du tout.

Je ne sais même plus à quelle bouche de métro il faut descendre pour rejoindre la bibliothèque Sainte-Geneviève.

Je partirais bien te voir mais je suis fauchée.

Je dois déjà cinq mille francs à Daniel, deux mille à papa, trois mille à maman.

Simon, quand vas-tu te décider à gagner correctement ta vie afin que je puisse te taxer ?

Après tout ne suis-je pas ta sœur préférée, ton petit bout de chou adoré, ta tête à claques favorite ?

Radin.

Dis plutôt que t'as pas envie de me voir.

Après tous les sacrifices que j'ai pu faire pour toi.

A moins qu'on ne se décide à louer un charter et que toute ta petite famille qui te manque tant vienne voir comment se débrouille son Simon adoré ?

Chiche ?

Tiens je vais envoyer un e-mail à papa pour lui soumettre cette suggestion.

Qui sait ? Peut-être que Daniel se proposera de racheter Air France.

Je te tiens au courant.

Judith, ta mufle de sœur et de cœur."

A six heures trente du soir, juste après les Simpson, je me suis habillé – enfin, j'ai seulement jeté mon blouson sur mes épaules, un cadeau de Léa –, j'ai troqué ma vieille paire de Reebok contre des chaussures de ville, ai vérifié que je n'avais pas oublié ma boîte de Témesta, mon passeport, mon argent, mon portefeuille, mes clefs et je suis sorti.

J'ai traînaillé sur Davie Street.

La soirée promettait d'être douce.

Le long des avenues ensoleillées, les arbres se trémoussaient, émoustillés par une brise légère et capricieuse.

Sur des pelouses accueillantes, des gamins se relançaient indéfiniment une balle de base-ball. D'autres affûtaient avec amour leurs crosses de hockey. Des ribambelles de fillettes en jupette se disputaient un ballon poursuivies par une meute de chiens jappeurs.

Les policiers vadrouillaient à vélo.

Je retirai un peu d'argent au Seven Eleven.

C'étaient les dernières belles journées de l'année, le dernier soupir d'octobre avant que la pluie, la brume, la grisaille ne transforment Vancouver en un décor de rêve pour adapter *Souvenirs de la maison des morts*.

Hormis quelques homosexuels qui, nonchalants, lambinaient, main dans la main, l'air extatique, en bermuda, il n'y avait pas grand monde sur Davie Street.

Seulement des colonies de lesbiennes qui trottinaient, en short bouffant et en chaussettes écossaises.

Sur Denman, les échoppes fermaient les unes après les autres.

Seule la librairie spécialisée dans les livres qui aidaient à soulager vos hémorroïdes à base d'un traitement floral, à comprendre que la Terre était votre meilleure amie, que s'accepter soi-même nécessitait juste de s'adonner à la plongée sous-marine, resterait ouverte une bonne partie de la nuit, ultime refuge pour les âmes tourmentées à la recherche d'un introuvable équilibre.

Au Cosmos, pour cinq dollars, on pouvait voir *Eyes Wide Shut* suivi, en deuxième partie de soirée, du dernier Woody Allen.

Des odeurs de pizza, de kebab, de café lyophilisé, de hot-dog se mélangeaient aux gaz d'échappement des limousines. Les hordes de touristes japonais, vietnamiens, hong-kongais, appareils photo en bandoulière, bob sur la tête, lunettes de soleil vissées sur le front, se dépêchaient de rejoindre leur car stationné au bas de Georgia Street.

Des cyclistes audacieux se frayaient un chemin parmi les voitures, les caddies des clodos, les promeneurs égarés sur la chaussée, les junkies à la recherche de leur dealer.

Au Tatsumi, le meilleur restaurant japonais de la ville, des bouffeurs de sushis patientaient, attendant qu'une table se libère pour se livrer à leurs libations préférées.

Je suis entré dans un bar, l'Ocean Rain, mais le serveur me récita d'une voix monocorde qu'il ne pouvait pas me servir d'alcool si je ne mangeais pas sur place.

Demi-tour.

Je suis redescendu vers English Bay.

A l'horizon se devinaient les contours montagneux de Vancouver Island mais bien entendu ce n'était qu'un mirage.

Le soleil se dandinait sur les vagues ensanglantées de l'océan. Il n'allait plus tarder à se coucher.

Des bateaux à aubes, débouchant de Granville Island, sillonnaient les rives, leur parterre débordant de touristes occupés à décortiquer leurs crabes, une colonie de voiliers se hâtait lentement vers la Marina, des paquebots flirtaient avec des cargos avant de disparaître au détour de West Point Grey.

Un seul nageur avait osé défier la froideur de l'océan.

De vulgaires hors-bord au museau arrogant propageaient une musique abrutissante ; sûrement filaient-ils au large où on tournerait le climax d'un film porno.

Au bar du Sylvia Hotel, des retraités sirotaient un jus de tomate.

Une serveuse fatiguée m'a servi une Guinness encore plus fatiguée qu'elle.

Je me suis aventuré à commander un whisky mais comme d'habitude il barbotait dans une mer de glaçons.

Désœuvré, j'ai tenté d'allumer une cigarette mais on m'a vite fait comprendre que je dérangeais.

Bêtement j'ai souri pour m'excuser et docilement j'ai obtempéré.

J'avais soif.

Avec un peu de chance j'ai pensé que le Liquor Store serait encore ouvert.

J'ai payé sans attendre la monnaie.

Une flasque de whisky.

C'est tout ce dont j'avais besoin.

Mon seul et unique cadeau d'anniversaire.

Au croisement de Denman et de Davie Street, les drapeaux de la Colombie-Britannique, du Canada, du Commonwealth claquaient au vent farceur.

J'ai remonté Davie Street.

Le Liquor Store était fermé.

Décidément le diable ne vivait pas à Vancouver.

Je décidai que je mourais de faim.

Dans un restaurant grec, je me suis invité.

Chez Stephos.

La sono diffusait en boucle une version hellénique et assommante du *Suzanne* de Leonard Cohen.

J'ai englouti un souvlaki présenté dans une assiette aussi imposante que celle du couscous du vendredi soir.

Avant même que l'entrée ne me soit servie, j'avais déjà descendu une bouteille d'un litre de boukthari qui avait pour seul mérite d'être fraîche.

La deuxième était encore plus impeccablement fraîche que la première.

Au fond de la salle, tiens tiens, le conseiller culturel dînait en tête-à-tête avec une jeune femme.

Eux aussi dégustaient une bouteille de boukthari.

On s'est souri.

Enfin surtout moi.

J'ai failli les rejoindre mais au dernier moment je me suis ravisé.

J'aurais pu les importuner.

Et puis j'avais envie d'être seul.

Par malchance, le serveur, une grande asperge, boucle d'oreille dans le nez, deux autres ballottant à ses oreilles décollées, cheveux rasés, parlait français.

Il s'est tout de suite aperçu que j'étais français.

J'ignore comment, mon anglais étant franchement des plus irréprochables.

Il devait être très perspicace, c'est tout.

Les serveurs à Vancouver, tout le monde vous le dira, sont redoutables de sagacité.

Ils vous repèrent un Chinois à peine sortis de leur cuisine.

Quand j'ai fini par cracher entre deux gorgées de vin que oui je venais bien de Paris, il a écarquillé ses yeux, porté ses mains toutes baguées à son cœur, j'ai bien cru qu'il allait lui aussi se taper une attaque de panique mais alors là mon petit, pas question de te prêter mon Témesta. Question de principe. Tu peux crever devant moi, je protégerai envers et contre tous mon bien le plus précieux.

Oh Paris ?

En France ?

Non non au Yémen.

Pardon ?

Rien. Oui en France.

J'adoooooore la France.

Ah ?

Oh oui c'est si romantique. *So cute.*

Ah ?

Le Livre, Notre-Femme. La Peine, le Quartier-patin, les Champs-Délites.

Oui oui magnifique.

Je suis allé là-bas quand j'avais dix-neuf ans.

Ah ?

Oui c'était un fardeau de mes parents.

Ah ?

Oui j'ai vraiment beaucoup beaucoup beaucoup aime. Mes plus belles absences de toute ma mort.

Really ?

Oh oui Feaubourg, la Pastille, Monmaitre, je dormais moi-même à la pitié universitaire avec un *friend*, vous connaissez ?

Mais tout à fait, près du parc Montsouris. RER B. A deux pas du stade Charlety.

Oh le parc Montriri, oh oui c'est *so cute*, ah bien sûr c'est pas Stanley Park, mais c'est très joli quand même. Avec tous ces singes.

Quels singes ?

Oui tu sais ces oiseaux tout blancs qui mangent le pain tout dur.

Des cygnes.

Right. Cygnes.

Vous êtes né là-bas ?

Où ça ? Au parc Montsouris ?

A Paris je voulais signifier.

Yes, yes.

J'ai pas bons les mots pour vous rire la motion qui est mienne. Je me suis tellement amuse. *So funny, you know.*

Je comprends.

Et puis le Toit de Bologne, le Catho de Versailles, le Triomphe de l'Arc. C'est si beau. C'était comme dans un con de fée.

Un conte.

Oui un conte. *I was Cinderella.* Ah ahahaha !

Ah ahahahhahha. (Mais c'est qui cette Cinderella au juste ?)

Mais pourquoi toi tu es venu ici *to* Vancouver ?

It's a long story. Compliqué. *Very complicated.*

Tu as des progrès pour ce soir ?

Pardon ?

Tu vas m'amuser ce soir ?

Non, non je suis trop crevé.

I beg your pardon.

Nothing. I am just a little tired, you know, un peu fatigué, je vais fumer une cigarette et puis dodo.

Sodo ? *Oh great so you like that ?*

No no dodo. Sleep.

Oh OK. Mais est-ce que toi être gay ?

Gay ?

Tu sais hmmm *well guys who* aiment *guys.*

Heu non pas vraiment.

Oh OK. Tant pis. *Sorry.* Désolé. *Anyway*, tu veux peut-être tirer un dessert. Ce soir on a tiramisu, carte aux poix de tecan, *apple-pie*.

Non non ça va merci.

Tu t'appelles comment ?

Rocheteau. Dominique Rocheteau.

Moi c'est Kevin.

Keegan ?

Keewho ?

Non rien. Je peux avoir l'addition ?

Fou de suite.

J'ai payé, j'ai laissé un pourboire des plus corrects puis je suis parti avant que Keegan ne revienne.

J'ai cherché un bar pour me saouler et fêter mes trente et un ans.

Descendre trente et un verres.

Peut-être même fumer un cigare et aller vomir dans la mer.

Léa me manquait.

J'ai descendu Davie Street jusqu'à l'océan.

Je n'ai pas trouvé de bar ouvert.

Il était tard.

Dix heures passées.

Je n'avais nulle part où aller.

J'ai voulu appeler Léa mais je n'ai pas trouvé de cabine.

A trois heures du matin, mon père – qui d'autre ? – a appelé pour me souhaiter bon anniversaire. Merci papa. Tout se passe bien ? Oui. Bon je te passe ta mère. Babette il a crié. Babette. Qu'est-ce que tu veux encore ? Viens. Je suis à la cuisine. Viens quand même. Attends je baisse le feu. Qu'est-ce que tu as ? C'est Simon. Quoi Simon, qu'est-ce qui lui est arrivé à mon Simon ? J'ai entendu des pas affolés dans le couloir, une table se renverser, une porte claquer, et puis soudain un cri, une complainte, un hurlement qui a dû déchirer le calme de la nuit vancouvéroise : Qu'est-ce qui se passe mon fils ? Qu'est-ce que tu as ? Ça ne va pas ? Mais si maman. Tout va bien. Mais qu'est-ce que c'est cette voix que tu as ? Tu as bu ? Tu es malade ? Tu as pris froid ? Tu es allé voir un docteur au moins ? Tu as de la fièvre ? Combien ? Maman ? Quoi mon fils ? Il est trois heures du matin ici et simplement papa a dû oublier le décalage horaire et il m'a appelé pour me souhaiter bon anniversaire. Grand silence. Terrifiant. Là j'avoue j'ai eu un peu pitié pour papa. Il allait dérouiller. T'as perdu la tête Georges d'appeler ton fils comme ça au beau milieu de la nuit ? Combien de fois je t'ai expliqué Georges qu'il y a neuf heures en moins au Kanada, neuf heures, combien de fois ? C'est si compliqué de s'en souvenir ? Mais évidemment est-ce que tu m'écoutes ?

Penses-tu ! Si seulement tu étais trop absorbé par tes affaires pour m'écouter ! Maintenant, tu es content, tu as réveillé ton fils. Va te recoucher mon fils, excuse ton père, tu sais comment il est, qu'est-ce qu'il vieillit mal je te jure, tu sais pas ce qu'il m'a fait comme coup la semaine dernière, je t'ai pas raconté, un matin, maman, oui mon fils, demain, quoi demain, demain tu me raconteras, bien sûr mon fils, excuse-le encore, dors, dors, je t'embrasse mon fils. Dors bien. Ne prends pas froid.

Après le coup de fil matutinal de papa, j'ai eu du mal à me rendormir.

J'ai rêvé que j'étais un preneur d'otages qui avait détourné un avion.

Vancouver-Paris.

J'ai passé le reste de ma nuit à me demander pourquoi.

J'avais une arme à la main, des grenades pendues autour du cou, des rangées de cartouches autour de ma ceinture, le bandeau de Vilas dans les cheveux, le maillot Manufrance scotché à mon torse, des protège-tibias qui montaient au-dessus des genoux, j'avais l'air menaçant, très très menaçant, je n'ai pas dit un mot. Pas un. Le silence total dans l'avion. Pas de cris. Rien. Moment intense où la vie bascule, va basculer, ça se sent, les regards se figent, la peur suinte, les femmes m'admirent malgré elles, les hommes m'envient, les hôtesses m'obéissent, un steward me cire les chaussures.

Personne ne bouge.

Le commandant vient me voir et me tape sur l'épaule.

Je sursaute.

Les autorités veulent vous parler.

A moi ?

Je pense bien.

Ben pourquoi ? Qu'est-ce qu'ils me veulent ? Me dites pas qu'ils ont encore perdu mes bagages !

Rapport à la prise d'otages je suppose.

Quelle prise d'otages ?

La vôtre.

La mienne ?

La vôtre.

Exactement la mienne, c'est la mienne, c'est ma prise d'otages. Compris ?

Ouais mais je leur dis quoi alors ?

A quel sujet ?

Rapport à votre prise d'otages.

Dites-leur non.

Non quoi ?

Non quoi quoi ?

Je leur dis non pourquoi ?

Je ne discute pas.

Ah ?

Quoi ?

Rien mais ils vont gueuler je les connais.

Mais non.

Ah si si si là ils vont gueuler, je vous assure, ils vont pas être contents les gars en bas.

Vous croyez ?

Sûr.

Bon ben dites-leur alors que c'est pour la cause.

Quelle cause ?

La cause.

OK mais laquelle ?

Mais vous savez que vous commencez à m'emmerder avec vos questions ?

Désolé mais je ne fais que mon boulot.

Et votre boulot consiste à emmerder les gens, c'est ça ? Ben bravo.

Vous ne trouvez pas que vous exagérez un peu là ?

Possible.

Bon alors je leur dis quoi ?

Quoi ?

Quoi quoi ?

Allez leur dire d'aller se faire foutre.

Me croiront pas.

Vous savez que vous commencez à me les gonfler vous, ça va mal finir, je vous aurai prévenu.

Et après ? Je suis dépressif.

Vous carburez à quoi ? Au Témesta ou au Lexomil ?

Témesta. Dix milligrammes par jour.

Vous n'êtes pas dépressif, vous êtes mort.

Possible. Quelle différence ?

Aucune.

Et comme antidépresseur ?

J'ai laissé tomber. Ça me donnait envie de vivre.

Quelle horreur.

Abominable.

Ça va mieux maintenant ?

Beaucoup mieux merci.

Vous voyez un psy ?

A quoi bon ?

A quel âge vous avez cessé de pisser au lit ?

Je n'ai jamais cessé. Allez, faites un effort, trouvez-moi une cause. Juste une. Pour les faire patienter. Soyez sympa. Ma femme m'attend. Je lui ai promis de l'emmener au théâtre ce soir.

Voir quoi ?

Une pièce avec Sardou, je me souviens plus du titre.

Sardou ? Mais c'est un chanteur.

Ouais je sais mais cette fois il fait l'acteur.

Sardou ?

Affirmatif.

Il joue *Hamlet* ?

Peut-être bien oui, c'est ma femme qui a réservé les places.

Elle est pas un peu conne votre femme ?

Un peu. Bon alors je leur dis quoi aux autorités ?

D'aller baiser votre femme.

Ils ne voudront pas.

Elle est si moche que ça ?

Faut croire. Alors je dis quoi moi ?

Vous n'avez qu'à leur dire que je milite pour le retour immédiat de Saint-Etienne en première division.

Vous vous foutez de moi ?

Je ne plaisante jamais, JAMAIS, tu as entendu, le dépressif chronique, avec les Verts. Pigé ?

Je crois.

Barre-toi maintenant.

Il est retourné dans son cockpit.

Je ne sais pas ce qu'il leur a raconté, toujours est-il que dans la minute suivante, j'avais le stade Geoffroy-Guichard en direct.

Au milieu du rond central je tenais à bout de bras la coupe d'Europe.

Juste avant de réaliser que je me tenais debout au milieu de mon lit, les bras levés et la tête ensanglantée.

Avant mon départ pour le Nouveau Monde, j'avais offert à Léa un appareil à fondue.

Grâce à l'argent des Pléiades. Un cadeau de mon oncle. Sa rutilante collection de Pléiades que je n'ai pour ainsi dire jamais lues. Avec toutes leurs avalanches de notes, de renvois, de versions inédites, et ce papier si fragile qu'on n'osait le toucher de crainte de le froisser.

Ça, tu vois, Simon, c'est pour toi, il m'avait dit un jour, après m'avoir ausculté pour la énième fois la gorge que ma mère, paniquée, avait dû trouver suspecte.

Je devais avoir dix ans. Il était médecin. Son cabinet, aux volets toujours fermés, à la moquette rouge sombre, regorgeait de livres endormis bien au chaud dans sa majestueuse bibliothèque. J'ai toujours pensé qu'ils devaient être heureux dans cet endroit. Ils logeaient dans le plus bel hôtel de Paris. Chez mon oncle. Docteur Azoulay, interne des hôpitaux de Paris. Il aimait lire. Et surtout il était un ardent supporter des Verts. D'ailleurs entre les photos de ses enfants, Nathan et Jonathan, il avait encadré l'image de Rocheteau, ivre de joie dans les bras de Revelli, après son but salvateur contre le Dynamo de Kiev.

Entre deux patients, il se plongeait dans un roman et c'était toujours à contrecœur qu'il l'abandonnait pour recevoir M. Abitbol ou Mme Abecassis qui venait encore et toujours se plaindre de ses hémorroïdes ou de ses cors aux pieds.

Ses livres étaient toujours crayonnés de notes, de réflexions, de citations. Il n'aimait pas les romans russes. Trop de personnages. Me souviens jamais qui est qui. Suis obligé à chaque fois de dresser un arbre généalogique des protagonistes.

Les mercredis soir où Saint-Etienne jouait, il fermait son cabinet à cinq heures, attendait huit heures trente en achevant le dernier García Márquez, Kundera, Kadaré, puis sitôt que la retransmission commençait, il ouvrait un de ses tiroirs, sortait une kippa et la posait soigneusement sur sa tête avant d'aller embrasser le portrait de Rocheteau. Il décrochait son téléphone. Tout le 18e arrondissement aurait pu crever sous ses fenêtres, l'implorer, le réclamer, il n'aurait pas bougé. Personne n'avait le droit de le déranger. Personne. Sauf moi. Moi aussi j'avais ma kippa et dans un silence qui ne pouvait être que religieux nous regardions Curkovic dégoûter Blokhine, les coups francs fusants de Jean-Michel Larqué, le visage impassible de Robby Herbin, les envolées folles de Zimako, la rudesse intransigeante de Janvion, l'audace géniale de Bathenay, le travail incessant de Synaeghael, les tacles glissés toujours propres de Lopez, les montées rageuses de Piazza, cheveux au vent, prêt à en découdre avec une escouade de défenseurs hollandais, anglais ou soviétiques.

On souffrait, on se congratulait, on serrait les dents, on secouait la tête de dépit, à la mi-temps, on dégustait un sandwich au thon préparé par maman, puis une fois le match terminé, nous rangions soigneusement nos kippas, éteignions les lumières, un dernier baiser à Rocheteau, puis nous rentrions tout doucement retrouver ma tante.

Le soir de la finale perdue contre le Bayern de Munich, pour la première fois de sa vie mon oncle a pris un somnifère, moi j'ai eu droit à une tisane, il n'a pas dormi avec ma tante, il est resté toute la nuit à fumer sur le balcon, au matin il avait encore les yeux tout rouges, le visage défait, les traits décomposés.

Moi non plus je n'avais pas fermé les yeux de la nuit.

En silence, j'avais pleuré toutes les larmes de mon corps.

J'étais inconsolable.

Inconsolable je suis resté.

Parfois je me dis que ma vie débutera vraiment le jour où les Verts deviendront champions d'Europe.

A chaque fois que Léa me disait de fermer les yeux à cause d'un cil égaré dans mes yeux et de formuler un vœu, à chaque fois, j'implorais l'Eternel d'apporter la victoire à Saint-Etienne.

Toutes ces années qui avaient enchanté mon enfance, ces soirées à écouter la radio, blotti dans mon lit, avec cette antique oreillette préhistorique toute jaunâtre, combien je désirais les revivre avec la même innocence, la même intensité.

Le jour où mon oncle est mort, j'ai appris qu'il m'avait légué sa collection de Pléiades.

Et la photo de Rocheteau avec Revelli.

Cette photo de joie absolue, de grâce suspendue, elle ne m'a jamais quitté.

Grâce aux recommandations répétées de M. Boitillon auprès du directeur de l'Alliance française, je donne, deux fois par semaine, le mardi et le jeudi à dix-huit heures trente, des cours sur "l'épanouissement de la littérature française entre les deux guerres".

Ce n'est pas moi qui ai choisi un intitulé si pompeux.

C'est le ministère me confia en aparté Boitillon.

Le ministère de quoi au juste ? De la Guerre ? De la Propagande ?

Inutile de dire que je ne sais rien de la littérature française entre les deux guerres, que je m'en moque comme du premier vainqueur du championnat de France qui doit être Le Havre ou Lille ou bien Sedan ou encore Reims, et que, malgré ma culture encyclopédique, kaléidoscopique, encyclique, je n'ai jamais, lors de mes pléthoriques lectures, entendu parler d'un quelconque éventuel épanouissement des lettres nationales pendant cet aimable interlude que constitua l'entre-deux-guerres.

C'était ça ou le rayonnement de la pensée française après la Seconde Guerre ou alors Lancelot du Lac, ancêtre d'Indiana Jones, me précisa, en jubilant, M. Boitillon.

L'Alliance française, immeuble sans grâce où un drapeau français décoloré passe ses journées à regarder défiler des automobilistes qui se demandent encore un kilomètre plus loin quel drôle de pays peut s'enorgueillir d'un tel étendard, l'Europe ? l'Antarctique ? le Mur de Berlin ? se situe tout au bout du bout de Cambie, l'une des trois artères principales de Vancouver, avec Burrard et Granville, toute proche du pré carré où s'ébroue la prospère communauté juive de Vancouver, à deux pas du Holocaust Center.

Décidément cette histoire d'Holocauste ne passe pas.

Prévenant, M. Boitillon m'a gentiment proposé de me prêter le vélo du consulat.

Je n'ai pas pu refuser.

J'aurais dû.

Je n'avais jamais réalisé lors de ma seule et unique escapade hors du West End – je devais rejoindre Monika dans un entrepôt du port pour un vernissage d'une artiste très tendance – combien Vancouver ressemblait par moments à Briançon ou à Chamonix.

Plusieurs fois, je l'admets, je fus à deux doigts de mettre pied à terre ou du moins d'attendre le gruppetto ou pire la voiture-balai, en l'occurrence un simple bus tout jaune sans masseuses ni psychologues ni sophrologues ni cellules psychologiques à l'intérieur pour me réconforter, mais j'avais ma petite fierté imbécile de vantard de connard de Français toujours persuadé d'être plus fort que l'autre, et, rageusement, je continuais à grimper, mes quatre mains et mes six pieds en danseuse, je serrais les dents aussi fort que si je traînais une féroce constipation depuis des jours – et si on disait que j'étais Fignon ou Gianni Bugno dans les derniers lacets de L'Alpe d'Huez, que tous ces gens agglutinés à l'arrêt de bus m'acclamaient, m'aspergeaient d'eau, me gratifiaient de grandes bourrades amicales dans le dos ? Mais seule me revenait l'image de Fignon abandonnant, la tête basse, ses lunettes humides, la goutte au nez, au bas d'un col qu'il ne franchirait jamais, je suais comme un amateur de chevaux byzantins cloîtré dans un hammam, je me liquéfiais, je perdais mes eaux, si je me retournais j'apercevrais une longue traînée de sueur et de larmes rampant en serpentin jusqu'au Pacifique.

Ahuri de fatigue, je me trompais dans les changements de vitesse, je martyrisais les trois plateaux, à la recherche de la combinaison idéale, mes poumons se cramaient, mon cœur préparait un coup d'Etat, mes jambes flageolaient ; à mi-hauteur d'Ontario, je tâchai de prendre la roue d'un retraité, après m'avoir encouragé d'un tonitruant *you can do it boy, you can do it*, il plaça une accélération foudroyante qui me laissa sur place.

J'arrivai à l'Alliance française hors délai.

Juste deux petites heures de retard.

Les jambes disloquées, une à une, j'escaladai les sept monstrueuses marches – sûrement l'œuvre d'un architecte mégalomane et frustré, nostalgique des bâtisseurs de la Rome antique – qui menaient à l'autel de la pensée française.

La porte était close.

A genoux je tambourinai.

A quatre pattes, je cognai.

A plat ventre, je pleurai.

Entre ici Sagalovitsch s'époumonait les cheveux au vent Malraux.

La dette de l'Etat français est imprescriptible.

Maurice Papon la cour vous condamne à dix ans de prison.

O Sagalovitsch te dirai-je notre terrible voyage en troisième classe et plus tard cette nuit la vision de ce vautour dans la cuvette des toilettes ?

Et maintenant le soir s'abattait sur Drancy et ne se relèverait pas de sitôt.

Après une inspection minutieuse opérée à l'ombre d'un lampadaire imaginaire, je dus me rendre à l'évidence : mon vélo consulaire, malgré son apparat de belle jument se prélassant dans un haras des Emirats unis, ne possédait aucune loupiote à même de m'éviter les nombreux pièges imaginés par la voirie de Vancouver, toujours très retorse en matière d'urbanisme.

Ah le Canada, le Canada, le Kanada, je te jure, quelle supercherie tout de même.

A un carrefour, je hélai plusieurs wagons à bestiaux conduits par des chauffeurs sikhs ou pakistanais ou indiens, comment savoir, mais, solidaires dans leur volonté d'exterminer à jamais la putride race juive, ils affichaient tous complet, complet, complet, envahis de touristes allemands ou polonais voire roumains agglutinés à la vitre qui me montraient du doigt tout en me tirant la langue.

O mère regardez ne serait-ce donc pas là un juif avec son nez tout crochu et ses lèvres baveuses ?

A regret, proche d'une défaillance fatale, j'avisai ou plutôt je remarquai une cabine téléphonique postée, comme par hasard, juste devant le Centre culturel juif de la 42e Avenue.

Monika n'était pas à la maison.

D'ailleurs c'est bien simple elle n'était jamais à la maison.

Parfois j'en arrivais à me demander si sans même me prévenir elle n'avait pas déménagé laissant juste la cafetière allumée pour tromper ma vigilance.

De temps en temps je la croisais sur Davie, toujours accompagnée d'un cheptel de demoiselles anorexiques énamourées mais, perfide comme un Italien dans la surface de réparation de San Siro, elle continuait sa route sans même m'accorder un regard.

Martine, si tu es à la maison, réponds.

Mona tu es là ?

Molly t'es pas là ?

Mirene ?

Devait négocier ferme avec ses dealers qui quadrillaient la ville à bord de limousines prétentieuses conduites par des petites frappes carburant au thé glacé.

Elle ne pouvait pas se shooter, comme tout le monde, au Témesta, au Lexomil, au Xanax ?

Je reconnaissais bien là l'égoïsme implacable des Néerlandais, l'individualisme forcené de ces Bataves incapables de s'accorder dans les vestiaires sur la question cruciale de savoir qui tirerait les corners du côté droit. Serait-ce Rijkard, Overmars ou alors l'un des frères De Boer, oui mais lequel coach ? Ronald ou Franck ?

T'avais promis à maman que ça serait mon tour.

Ta gueule, c'est moi l'aîné.

Ça veut rien dire.

Je finis par pénétrer dans le centre Norman-Rostein.

Une foule impressionnante se tassait dans le hall d'accueil.

Mais enfin, pestais-je, qu'était-ce donc que tous ces gens affublés de tenues excentriques ressemblant à ces aimables rabatteurs du Quartier latin qui tout au long de la rue Saint-Séverin vous postillonnent des lamelles de mouton pas cuites à la gueule ?

Comateux, j'interrogeai très poliment un quidam vêtu d'une robe folklorique du plus bel effet en train de s'empiffrer de tarama un gobelet d'ouzo à la main.

Vous êtes juif ?

Non.

Vous êtes quoi ?

Spartiate.

Hein ?

De Sparte. Et vous ?

Juif. Vous aussi ?

Non. Spartiate.

Et tous ces gens, des Spartiates aussi ?

Non. Des Athéniens.

Juifs ?

Non.

Je m'emparai d'une bouteille d'ouzo même pas cashérisé par les frères Bokobza de Tunis et, d'une seule lampée rageuse, en avalai la moitié.

C'est bien ce que je pensais : ce n'était pas de la boukha.

Plutôt du pastis hongrois.

Vous êtes quoi vous, spartiate ou athénien ?

Non. Canadien. Toronto. C'est moi le chanteur.

Leonard Cohen ?

Non. Je le remplace.

Juif ?

Non.

Ainsi, en cette nuit profonde et noire, plongé dans les ténèbres de l'âme occidentale, je compris, malgré le bavardage des livres d'histoire, que le Troisième Reich allié avec le régime des colonels avait bel et bien triomphé et régnait en maître à la surface de la terre. Si Ludlum savait cela…

Sinon comment mais comment expliquer que les centres culturels juifs soient devenus le refuge privilégié des Grecs en culottes courtes ?

Beau travail.

Rien à redire.

Aussi efficace que Gerd Muller, le barbu alcoolisé, à l'approche des six mètres.

Imparable.

Si seulement je connaissais le numéro perso de Costa-Gavras.

Prudent, répondant à l'appel de mes gènes, je m'éclipsai avant d'être repéré par des membres de la Stasi.

Résigné mais volontaire, me sentant porté par le vent de l'Histoire, tel un maquisard galopant dans le Vercors, j'enfourchai mon vélo et dévalai la pente sans prêter attention aux feux de circulation.

Une fois rendu à la maison, je laissai un message sur le répondeur de Boitillon : "Les sanglots longs des violons de l'automne bercent mon cœur d'une langueur monotone, je répète, les sanglots longs des violons de l'automne…"

"Mon cher fils, je suis désormais convoqué deux fois par semaine à la mairie du 14e afin d'assister à des cours d'apprentissage pour me familiariser avec Internet, Windows, Microsoft, Words, Works et autres programmes barbares. C'était cela ou me coltiner un marmot de seize ans qui viendrait surveiller mes progrès cinq fois par semaine. Un as paraît-il.

Je pense que d'ici dix ans, je parviendrai à maîtriser le copier-coller.

Décidément ce monde va trop vite. Beaucoup trop vite.

Hier rendez-vous chez le médecin. Il m'a servi un whisky dix-huit ans d'âge, pur malt, sublime. Je le sens embarrassé. Il n'avance pas sur mon froid intérieur. Il s'est mis en relation avec un de ses collègues à Stanford University qui a eu à traiter un cas pareil.

Avec un peu de chance, je vais aller visiter Boston pour pas un sou. J'imagine très bien l'assistant du grand ponte m'attendant à l'aéroport avec une affichette où serait inscrit dessus M. Froid Intérieur !!! On demande M. Froid Intérieur.

Je t'embrasse.

Ton père."

"Salut cow-boy sans cheval, consul sans mescal, Lord Jim sans culpabilité.

Je déprime.

Je sais c'est pas un scoop.

Je ne sors plus.

Je me fais tout livrer par Internet.

J'ai fermé les volets. Décroché ce satané téléphone qui n'arrêtait pas de jacasser comme une collabo de concierge.

Je relis *Le Quatuor d'Alexandrie*. Toujours aussi parfait.

Comme si tu te prélassais toute la journée dans un bain aux senteurs envoûtantes.

Le monde du dehors est tellement laid ces derniers temps.

Je fume cigarette sur cigarette ainsi que d'autres cochonneries dont je tairai le nom connaissant ta répulsion vis-à-vis de ces substances illicites.

J'ai déréglé toutes les horloges et mis toutes les montres au pas.

M'en fous de l'heure, des jours, de la nuit, des étoiles, de la lune.

J'écoute Zimmerman en boucle.

Je me serais bien vue en petite amie de Bob Dylan.

Je m'imagine très bien en sa compagnie posant sur la pochette de *Subterranean Homesick Blues*, non ?

Dis oui pour une fois. Tu me manques. Tu me manques. Tu me manques. Tu ne peux pas savoir. J'ai tellement besoin de rire.

Impression de me saborder.

Tu rentres quand ?
NE RENTRE JAMAIS.

J'ingurgite des Bolino à la dizaine, mais attention seulement des torsades à la napolitaine. Délicieux et très pratique. Le vide-ordures dégorge de ces merveilleuses petites boîtes.

Hier j'ai encore raté mon permis de conduire. Une succession de petites fautes a dit l'inspecteur au teint bien couperosé. Encore un petit effort et vous serez prête mademoiselle.

Goy de merde.

J'en ai marre de ce pays, j'en ai marre des parents qui se chamaillent pour un rien, j'en ai marre des remontrances de maman, j'en ai marre d'avoir marre, j'en ai marre, marre, marre.

Keskifautfairequandonnesaitrienfaire ?

Pas de panique, grand frère, le grand saut n'est pas à l'ordre du jour. Ou alors ce sera par overdose de Bolino.

Allez, s'il te plaît, réponds-moi vite. Dépêche-toi, dépêche-toi, dépêche-toi…

Ta Judith."

"Simon, est-ce que par hasard me demande ta mère tu aurais des nouvelles de Judith, merci de me répondre par e-mail."

Depuis quelque temps déjà, je remarquais des signes évocateurs d'un net rapprochement avec Monika. Après une période transitoire des plus logiques entre deux primates occidentaux égarés dans un pays somme toute inconnu, une période constituée de tâtonnements, de frôlements, de regards perplexes voire soupçonneux – n'aurait-elle pas dérobé en douce mes pastilles de Témesta ? n'aurait-il pas délibérément laissé traîner son caleçon dans la salle d'eau ? –, tels deux félins intrépides qui se craignent mais se respectent, marquent leurs territoires, elle la télé, moi le broyeur de glaçons, à elle la baignoire, à moi la douche, à elle de nettoyer les vitres, à moi de récurer le four, nous finîmes par entamer une toute nouvelle ère prometteuse et rieuse de lendemains extatiques.

Ainsi pensais-je.

Non sans quelques arrière-pensées lubriques qui de temps en temps secouaient mes glandes hormonales condamnées au chômage de longue durée depuis trop longtemps.

Mes premiers soupçons remontent au jour où, comme je me prélassais sur le canapé à regarder la pluie faire chialer les carreaux de l'immeuble, elle se posta devant moi, un bagel à la main, et me demanda à brûle-pourpoint si j'étais juif. J'opinai du chef.

Si moi je ne l'étais pas alors qui ?

Je le savais.

Ah ?

Et alors ?

Rien c'est cool.

Tu trouves ?

Bien sûr. J'ai toujours adoré Anne Frank.

Qui ?

Anne Frank, ne me dis pas que tu ne connais pas Anne Frank.

Anne Frank, Anne Frank, ça me dit quelque chose. Ce n'est pas le nom de la caissière du Safeway ? Ou non j'y suis, c'est la fille cadette du concierge, c'est ça ? Celle avec de longues tresses rousses ?

Tu le fais exprès ou quoi ? Anne Frank, la fille qui pendant la guerre est restée planquée à Amsterdam dans un placard à balais.

Ah tu veux parler de cette Anne Frank. Quel sacré petit bout de femme, hein ?

Eh bien apprends qu'elle était juive.

Quoi ? Qui ?

Anne Frank était juive. Et, tu vois, c'est pour cela qu'elle se cachait, pour éviter de se faire prendre par les Germains.

Les qui ?

Les Germains. Les Allemands.

T'en es sûre ?

Mais oui puisque je te le dis. Quand j'étais toute petite, à Amsterdam, je passais devant tous les jours en revenant de l'école.

Fou comme le monde est petit.

Et aujourd'hui mon colocataire est juif aussi.

Seulement il ne se cache pas encore dans le placard à balais. D'ailleurs on n'a pas de placard à balais. D'ailleurs on n'a même pas de balais. Au fait, comment tu t'y prends pour le ménage ? Tu te sers de mes tee-shirts ou quoi ?

Bon alors t'es bien sûr, t'es comme Anne Frank, t'es juif.

Aussi sûr qu'Hitler était un majordome chinois !!! Ah ah ah j'adore l'humour juif.

Cette fille était folle. Son cerveau devait ressembler à un inextricable champ de chanvre qui pousserait anarchiquement au gré de la météo ou des courants marins. Une forêt de joints qui se court-circuitaient à tout instant et provoquaient des réactions aussi soudaines qu'inattendues. Ses neurones devaient jouer à Pac Man toute la journée et enfiler, sans relâche, les parties gratuites.

Deux jours plus tard, elle me demanda si j'avais prévu quelque chose pour le soir.

Heu, je ne sais pas trop encore. Pourquoi, tu veux mon autorisation pour découcher ?

Et si pour une fois on restait tous les deux à la maison ?

Ça ne pouvait être qu'une bonne idée.

D'autant plus que ses deux pouces jouaient avec le haut de son jean en le retroussant d'une manière très Britney Spears.

Je m'occuperais donc des boissons, elle de la nourriture.

Je me levai de mon canapé, il pleuvait, c'est fou ce qu'il pouvait pleuvoir ces derniers temps. Je ne savais même plus en quelle saison nous étions. Mars ? Juillet ? Fin octobre ?

D'instinct je me tournai vers la tour Molson. Entre deux giclées de pluie, j'appris le strict nécessaire :

10 octobre.

Huit degrés.

Pas boire et conduire.

Le 10 octobre ! Et dire que depuis mon arrivée, je n'avais toujours pas mis un orteil à trempoter dans le Pacifique.

Et que dire de toute cette végétation qui grossissait, débordait sur les trottoirs, s'infiltrait dans les murs des maisons, grimpait le long des façades, se faufilait entre les pavés, colonisait plages et parcs, courts de tennis et greens de golf ? On se serait cru dans une pub pour Tahiti douche.

J'appelai le consulat. J'avais besoin d'une bonne adresse pour trouver du champagne et même, pourquoi pas, un bon petit fromage qui sentirait bien la campagne française. Un mont-d'or par exemple.

Boitillon était occupé. Il préparait la venue de Charles Aznavour. Avec remise par le gouverneur général du Canada de la grande croix de la Légion d'honneur, des passages télévisés à la pelle, une ou deux conférences spécialement réservées à la communauté française, une pour les trois Arméniens reconvertis dans les sandwichs kebabs, trois récitals à l'Orpheum. Boitillon devait être au paradis.

A tout hasard j'apostrophai la responsable des visas.

Au son de sa voix, je tressaillis et faillis raccrocher : j'avais Mme Alliot-Marie au téléphone ou bien alors Françoise de Panafieu.

Je lui expliquai mon problème.

Elle avait réponse à tout.

Elle aurait pu travailler à la mairie de Paris ou bien à la permanence du RPR pendant les années folles et fastes de Jacquou le Croquant. Pour le champagne jeune homme, le Liquor Store de Commercial

Drive est magnifiquement achalandé, n'hésitez pas à mettre le prix sans quoi vous serez horriblement déçu, pour le fromage, allez chez Françoise, à l'angle d'Alma et de la 10e, juste en face de la station-service, vous ne pouvez pas la manquer, c'est tout petit, tout mignon, la propriétaire est auvergnate et leurs fromages sont tout simplement épatants. D'ailleurs, mais surtout ne le répétez pas, c'est là-bas qu'on s'en procure pour les réceptions chez le consul. C'est vous dire.

Je remerciai Xavière Tiberi et partis en chasse.

Je me couvris d'une demi-douzaine de casquettes, de trois K-way, me munis d'un plan de bus tout fripé et, hop, c'est tout guilleret que je franchis le porche de l'immeuble. Le concierge, occupé à travailler son swing dans le jardin broussailleux, m'adressa un large bonjour avec son club. Moi, sous la pluie, être le meilleur de cette ville, vous savez. Moi avoir grandi dans la puszta. Moi travailler deux heures par jour mon swing.

Il est difficile de se perdre à Vancouver. A l'image de toutes les grandes villes nord-américaines. Tout est à angle droit et toutes les rues se déclinent d'avenue en avenue, première, deuxième, troisième, traversées tous les trente kilomètres par de grands boulevards où crapahutent les tramways souvent de couleur jaune. Encore qu'à Vancouver ils soient bleus. Un jeu d'enfant. Même un Moshe Dayan en petite forme se serait joué de l'architecture de la ville.

Seulement tout le monde ne s'appelle pas Moshe Dayan.

Une demi-heure plus tard, sec comme un coureur du Tour de France à l'arrivée d'une étape de montagne, comme si je venais de me payer une tournée chez la blanchisseuse, j'étais de retour, mes trois bouteilles de Veuve Clicquot sous le bras, mon mont-d'or planqué par trois épaisseurs de sacs plastique. Le concierge continuait de peaufiner ses approches. Moi plus fort que Tiger Woods. Moi enfant de la puzta. Moi craindre personne. Sauf une bonne bouteille de tokay faillis-je rétorquer. Je laissai un pourboire régalien au chauffeur de taxi qui avait eu la bonté de m'attendre devant chez le fromager et de supporter tout le trajet retour sans broncher.

Je passai le reste de la journée à siffloter quelques verres de whisky canadien tout en matant une cohorte de canards pris dans une partie ébouriffante de petits bateaux que seules quelques mouettes désœuvrées venaient perturber.

Le ciel jouait la dame aux camélias et avait encore chargé son maquillage afin d'être totalement crédible dans son rôle. Brando n'aurait pas fait mieux. Les nuages grisonnaient, le vent tourbillonnait, les paquebots restaient cois. Les chiens s'amusaient à sauter au-dessus du filet de volley et deux trois nageurs essayaient de piquer la vedette aux canards. Finalement, après m'être longuement interrogé afin de savoir où une fois la nuit venue les canards dormaient – même Google ne le savait pas –, je m'administrai une douche glaciale, me rasai, me lavai, me récurai, admirai la beauté sculpturale de mon sexe, soupesai mes couilles parfumées à la vanille. Tout avait l'air d'être en place, prêt à fonctionner.

Ma parole Maurice ce soir, je fais un malheur !

Puis j'attendis.

Il était tôt encore.

Cinq heures et demie.

J'aurais bien fumé une cigarette.

Seulement je n'aimais pas fumer. Juste un cigare de temps à autre.

Pourtant je me serais bien vu régler son compte à une cartouche de Marlboro.

Je me rabattis sur une moitié de Témesta.

Je me demandai quand pour la dernière fois j'avais commis le péché de chair mais la réponse étant trop désespérante je laissai tomber de ce côté.

Désormais seul l'avenir compterait.

La bouteille de whisky essayait de m'envoûter mais je n'en tins pas compte.

Par précaution, je la planquai derrière le canapé.

Bien, bien.

Je feuilletai les pages sports du *Vancouver Sun* mais comme d'habitude il n'y en avait que pour les courses Nascar, le championnat du monde de curling et le base-ball.

J'aurais adoré adorer ce sport – les statistiques, collectionner la trombine des joueurs, savoir qu'en juin 1958 un tel avait aligné *huit home* run de suite – mais à chaque fois que je m'essayais, collé devant le poste de télévision, à tenter de percer les mystères de ce sport, je me décourageais au bout de trois minutes.

J'étais comme un étranger résolu à apprendre le français en débutant par les œuvres complètes de Lautréamont.

Tu tapes dans la balle, tu balances ta batte, tu galopes autour d'un terrain, tu te vautres dans le sable, tu fais ami-ami avec tes coéquipiers et puis tu rentres te reposer sur ton banc en réajustant ta casquette tout en ingurgitant une bouteille d'eau glacée avec ton visage dessus.

Il faisait déjà nuit lorsque Monika se montra. J'avais récupéré au Safeway quelques centaines de ces mini-bougies spécialement réservées pour les pauvres et les orphelins, que j'avais disposées avec soin dans tous les moindres recoins de l'appartement. Certes ça faisait un peu veillée funèbre mais afin de contrecarrer cette lugubre impression, j'avais mis en sourdine *Various Position* de Leonard Cohen. Ce qui changeait tout. J'avais pris soin de dresser la table avec de belles flûtes à champagne en plastique tandis qu'à portée de main dans un seau, non pas un seau à champagne mais un très beau seau tout de même qui pourrait le cas échéant – fuite, inondation, visite des parents – toujours resservir, barbotait une mer de glaçons d'où surgissait la tête rayonnante de la Veuve Clicquot.

Elle resta muette quelque temps, se dandina d'un pied sur l'autre, un sourire espiègle aux lèvres, se débarrassa de son fichu vert pomme et tel un maître d'hôtel sourcilleux elle inspecta toutes les pièces avant de se planter devant moi et de me dire :

J'adore. On se croirait à la synagogue

Tu trouves ?

Bien sûr. J'entends la voix des suppliciés.

Hein ?

Chut. Ecoute avec tout ton corps. Tu entends ce silence. Ce silence tu sais ce que c'est ?

…

C'est le silence de Dieu.

Ah.

Au moins je savais où elle avait passé son après-midi.

Je proposai une première coupe mais avant même que je n'esquisse le moindre geste, elle me dit : attends, attendons encore il est trop tôt, ils ne sont pas encore endormis.

Si tu parles des voisins, je les ai vus sortir vers les six heures. Je pense qu'ils avaient des billets pour le match de hockey.

Pas les voisins, les morts, Simenon. Les morts. Il ne faut pas les réveiller. Il faut les respecter. Je suis sûre que grâce à toi Anne Frank est parmi nous. Elle chante. Oh c'est merveilleux ma chérie. Tu as une voix si douce, si pure. N'aie pas peur, Monika est là.

J'eus un soudain besoin de réconfort.

Je m'éclipsai sur la pointe des pieds, direction ma chambre à coucher, direction la bibliothèque, direction la bouteille de Jack Daniel. Au goulot je bus. Une deux trois quatre lampées. Je m'allongeai quelques instants sur mon lit.

Bon d'accord elle était folle. Vraiment folle. Mischuge.

Et après ?

Est-ce que les folles n'avaient pas le droit d'exulter de temps à autre ? Que voulait donc dire cet ostracisme ? Y aurait-il un apartheid du sexe ? un mur de Berlin ? une muraille de Chine ?

Et puis elle n'était pas folle. Juste fofolle. Dingo.

A peine déglinguée.

Et elle n'était pas dangereuse, hein Simon ?

Simon ?

…

Simenon ?

Oui.

Tu peux revenir, ils dorment.

Tant mieux, tant mieux. Faites de beaux rêves les enfants. Priez pour Rocheteau.

Elle se tenait au milieu du canapé, elle avait troqué sa robe Agnès Varda contre une jupe en cuir d'une élégance et d'une audace folles. Un décolleté vertigineux découvrait quelques centimètres de sa poitrine galbée, ses jambes croisées se couvraient de bas noirs, très simples mais très très suaves. Pieds nus. Et elle avait pris soin de ramener ses cheveux en un chignon délicat.

Elle était tout bonnement renversante.

Ravissante.

Bandante.

Simon, Simon, calme-toi. Respire.

Je crois que tu me parlais de champagne Simenon. Tu disais ?

Le champagne Simenon. J'ai très soif tu sais.

Tout de suite.

Je nous servis deux coupes que je posai avec délicatesse sur la table basse.

Ça va Simenon ? Tu te sens bien ?

Merveilleusement bien Monika.

Approche-toi.

Qui ? Moi ?

Approche.

… Oh mon Dieu Simon, Simon, Simon, Simon.

Elle me viola la bouche avec une avidité féroce.

Elle embrassait divinement bien.

Je tentai de donner le change en apposant ma main le long de ses jambes mais visiblement une délicate petite claquette me fit comprendre que ce n'était pas pour tout de suite.

Je ne sais combien de temps elle siégea dans ma bouche.

J'avais parfois l'impression d'embrasser une brosse à dents électrique, en pleine crise épileptique, programmée pour effectuer un détartrage complet.

Finalement elle se retira et, les yeux dans les yeux, enfin ses yeux dans les miens – les miens vagabondaient dans une autre dimension –, nous trinquâmes.

J'étais assoiffé.

Pendant qu'elle laissait ses lèvres papoter avec le champagne, je m'étais resservi deux fois.

Fabuleux ce champagne.

Elle se passionna encore pour ma bouche.

Ma langue commençait à donner des signes de fatigue. Encore un peu et j'étais bon pour une crampe.

Simenon, me susurra-t-elle à l'oreille, tout en la mordillant très légèrement, j'ai très très envie de toi maintenant. Tu veux bien dis ? Oh oh coquin, je sens que tu veux bien. Tu sais quoi ? J'ai envie que tu me fasses l'amour sur le balcon.

Tu dis ? Sur le balcon ?

D'accord elle était folle.

Mais il pleut ma chérie.

Justement, tu ne peux pas savoir comme ça m'excite. Regarde, touche.

D'évidence cela ne la laissait pas de marbre. Son entrejambe était aussi bien huilé que le pédalier d'Armstrong lors d'une ascenscion d'un col hors catégorie.

Viens, elle me tendit le bras et au passage agrippa la Veuve Clicquot.

Il pleuvait vraiment.

A grosses gouttes.

Une fois rentrés son vélo, son kayak, sa paire de skis, ses rollers, son skate-board, ses palmes, son tuba, son tutu, ses plantes aromatiques, le balcon m'apparut aussi vaste que le désert de Gobi.

Evidemment j'étais très familier avec ce genre de pratique. Copuler sur un balcon était depuis des générations l'une des spécialités favorites de la famille. Pas un balcon d'Europe que l'un de mes ancêtres n'ait visité avec la pointe de son archet. De Constantinople à Jérusalem, de New York à Varsovie, de Zurich à Milan, nous avions pourfendu dans un élan enthousiaste et spontané des centaines de demoiselles au courant de nos réputations.

Certes ce jour-là il pleuvait mais qu'importe ? Dans un mouvement joyeux j'envoyai paître ma chemise et autres accessoires inutiles.

Adossée contre le balcon, elle me dévisagea avec sauvagerie.

L'appel de la bête.

Dans le port d'Amsterdam, y a des marins qui boivent et qui boivent et reboivent.

Et qui reboivent encore.

Va matelot Sagalovitsch, va, va, va.

J'allais, moussaillon, j'allais.

J'écartai, disons plutôt je déchirai ce décolleté et m'amourachai de cette paire de seins tendue aux mamelons durcis.

Elle fureta dans mon pantalon, en sortit l'objet de ses convoitises et fit preuve d'un jeu de mains redoutable. Avec un revers à deux mains à rendre jaloux Borg ou Gildemeister.

Embrasse-moi Simenon.

Elle renversa la Clicquot sur son visage et nous nous délectâmes de ce nectar certes pluvieux mais irrésistible, entremêlant nos langues, nos mains, nos sexes, nos jambes dans une anarchie vertigineuse.

Simenon si tu jouis maintenant je te tue, tu as compris.

Son sexe avait dû recevoir les soins du jardinier en chef de Wimbledon et ses fesses avaient la rondeur accueillante des gens du Nord.

D'un coup sec je fis une entrée triomphale dans son vagin. Claironnez trompettes de la gloire j'ai traversé des océans, remporté des victoires improbables et me voilà à nouveau, trempé par les vents, giflé par la pluie mais bel et bien au chaud dans cet antre divin.

Pourfends, Sagalovitsch.

Pourfends.

Je ralentissais.

Baise-moi Simenon, doucement, doucement, tant bien que mal je me contrôlais, j'employais ma bonne vieille tactique de détournement de complément d'objet direct, je n'étais plus à Vancouver, je ne m'appelais plus Simon Sagalovitsch, j'étais Dominique Rocheteau qui déboule sur la gauche, une feinte de frappe, un petit crochet qui envoie le défenseur fracasser un panneau publicitaire, un nouveau crochet, cheveux au vent, chaussettes baissées, je donne un dernier coup de rein, le but est grand ouvert devant moi, je m'enfonce dans la surface de réparation, le stade est debout, je continue à m'enfoncer, Simenon ? il arme sa frappe, SIMENON, quoi ? tu me baises ou tu réfléchis à la mort programmée du soleil, tu ne peux pas me baiser en rythme au lieu de t'agiter dans tous les sens, tu sais comme on t'a appris à l'école, en souplesse, j'entre, je sors, j'entre, je sors, je reprenais un rythme plus convenu, tout en passes courtes, bien léchées, sans déchet, je laissais l'adversaire s'épuiser à courir derrière le ballon, je maîtrisais tous les paramètres, j'attendais juste l'ouverture millimétrée pour porter le coup de grâce.

Monika braillait en hollandais, le voisin du dessus balançait ses miettes attirant aussitôt une colonie de mouettes, c'était aussi irréel qu'un Walt Disney, aussi beau qu'une finale de coupe du monde, aussi féerique qu'un opéra baroque et c'est avec maestria, à l'aide d'une merveille de petit râteau suivi d'un grand pont parfait, que je fis trembler les filets et s'évanouir les mouettes !

La suite fut plus traditionnelle.

Passements de jambes sur le canapé, tacle glissé sur la cuisinière, frappe sèche dans le corridor, tir en rupture sur le lit et *in fine* corner direct dans le placard.

Le lendemain, affamé, j'inspectai le frigo à la recherche de mon mont-d'or.

En vain.

Monika m'avoua qu'elle l'avait enterré durant la nuit dans le jardin.

Pour une ressortissante de l'autre pays du fromage, elle me décevait énormément.

Simon, ton frère pense sérieusement à nous céder sa Mercedes – il a des vues sur un 4 x 4 qui aurait rendu jaloux Paxton – avec GPS inclus afin de mieux nous aider à circuler dans Paris. Révolutionnaire m'a-t-il dit. Votre vie va changer. Finis les embouteillages papa. Tu te contentes de suivre les indications du GPS et te voilà rendu à la maison sans t'en rendre compte. Pourquoi pas une escorte carrément ? Ou un ballon dirigeable ? Ou une tenue de Superman ? Comment l'en dissuader ? Je sais même pas où se trouve la marche arrière sur cette voiture.

Roch ha-Chanah.

Bonne année, bonne santé, bonne retraite et tout le tralala qui va avec, sois heureux mon fils, prends bien soin de toi, toi aussi maman, oh moi tu sais j'en ai plus pour très longtemps, c'est la vie non, il faut bien mourir un jour, arrête maman, quoi tu fais comme ton père toi aussi, tu vas me dire qu'à force de répéter que je vais partir la première au bout du compte, c'est moi qui vous enterrerai tous, que Dieu m'en préserve, à propos Simon dis-moi tu cotises au moins pour ta retraite, quelle retraite maman, quelle retraite, quelle retraite il me demande celui-là, tout pareil que sa sœur, tu sais pas quel coup elle m'a fait encore, pas plus tard qu'hier, je l'appelle pour savoir si elle vient vendredi soir, spécialement pour elle, j'avais préparé de la ganouia, tu sais pas ce qu'elle me répond, texto, sur la Torah, oui je sais il faut pas jurer sur la Torah mais je t'en prie qui va m'entendre, ton père ? pas il plane celui-là, il plane, après quarante années de mariage je découvre que j'ai épousé un hydravion ou une Caravelle, on dit encore Caravelle, enfin bref, attends je prends mon carnet où je note tout ce que me dit ta sœur, en un an j'ai rempli deux pages, ma parole d'honneur, uhhhhhhhhhhhhhh tu te rends compte deux pages, pas une de plus, j'ai calculé, j'ai dû entendre le son de ma fille pendant deux minutes cinquante et encore je compte large, extra-large, XXL heureusement qu'y a Daniel, trois carnets entiers j'ai de lui, toi n'en parlons même pas, tu fais un concours avec Judith c'est ça, non ne dis rien, je sais, vous êtes comme ça les Sagalovitsch, comme si votre mère était une conspiratrice, enfin c'est comme ça, c'est pas à votre âge que vous allez changer, vous finirez tous les deux comme votre père, un biplaneur, ah ça y est j'ai le carnet sous les yeux, Simon tu m'écoutes, Simon ? oui bien sûr que je t'écoute maman, non parce que si je t'ennuie ou si je te dérange c'est pas grave mon fils, je te rappelle plus tard, ça va maman je suis tout ouïe, baba, comme ton père, ça entre ici ça sort par là sauf qu'avec lui je sais même pas si ça entre, tu sais que maintenant il vole les journaux dans la poubelle de l'immeuble, pas j'ai honte, j'ai honte, tous les soirs il remonte avec une pile de magazines, je lui ai dit Georges ça va pas la tête de fouiller dans les ordures comme ça devant tout le monde, tu te crois au spectacle, tu sais pas ce qu'il m'a répondu, c'est ma récréation de fin de journée, ma récréation, tu vois pas l'homme stressé que c'est, genre Bernard Tapie, je me lève à l'aube, je travaille comme un forcené à la boutique avant de rentrer exténué le soir, sur les rotules, pauvre chéri, tu travailles trop Georges je lui ai dit, repose-toi de temps en temps, après quoi tu cours comme ça, voilà je te lis ce que ta sœur m'a répondu au téléphone : "Petit un je ne viens pas vendredi soir parce que Dieu est mort, petit deux parce que je n'ai jamais aimé la ganaouia, et petit trois parce que précisément ce vendredi soir j'ai rendez-vous et non tu ne le connais pas et oui il est goy, plus goy que lui tu meurs, d'ailleurs si tu veux tout savoir je suis enceinte de lui, tu te rends compte un peu Simon comment elle parle à sa mère, ma propre fille, je t'en prie c'est comme ça que les jeunes filles d'aujourd'hui parlent avec leur mère, peut-être que oui, à mon avis le jour où elle est née celle-là Dieu a oublié de me donner le mode d'emploi avec ou alors ton père l'a oublié à l'hôpital, Simon tu dors ou quoi ? non maman je t'écoute, y a baba, je dois te laisser, ton père a besoin du téléphone pour ses affaires, attention mon fils on va être riche je le sens, ton père est sur l'affaire du siècle, oui Georges je raccroche, une seconde, je te rappelle mon fils, porte-toi bien et n'oublie pas de jeûner pour Kippour, c'est mercredi, Georges, Georges, tu peux appeler tes clients maintenant.

Tu ne manges pas ?
Pas le droit.
Pourquoi pas ? Tu suis un régime ?
Non.
T'es malade ?
Non plus.
T'es fâché pour ton fromage ?
Mais non.
Tu n'aimes pas mes bagels ?
Mais si.
Tu veux des œufs au plat ?
Pas le droit.
Tu veux que j'appelle le docteur ?
Surtout pas.
Tu n'as pas aimé hier soir ?
Mais si.
Alors pourquoi tu boudes ?
Je boude pas.
Si tu boudes.
Même pas vrai.
Tu veux un verre ?
Pas le droit.
Même pas un petit ?
Pas le droit.
Et du champagne t'as le droit ?
Pas le droit.
Un câlin ?

Pas le droit.

Pourquoi ?

C'est Kippour.

C'est pour qui ?

Mais c'est pour personne, Monika, c'est juste Kippour.

Kipourquoi ?

Hein ?

Qu'est-ce que c'est Kifour ?

Kippour, Monika, pas Kifour enfin !

D'accord. Ben alors c'est quoi alors ton Kippour ?

Le Grand Pardon.

Pardon ?

Hein ?

Pourquoi tu me pardonnes ?

Mais je ne te pardonne pas !

Pourquoi non ? J'ai été méchante ?

Mais non, je ne crois pas.

Alors tu me pardonnes ?

Que veux-tu que je te pardonne ?

Je sais pas moi, c'est toi qui as commencé à me dire que tu me pardonnais.

Moi ? Mais jamais de la vie !

Alors qui c'est Kippour ?

Personne, c'est juste une fête. Enfin non pas vraiment une fête. C'est compliqué à expliquer. Je te raconterai tout à l'heure. Je dois y aller maintenant.

Mais tu vas où ?

A la synagogue.

A cette heure-ci ?

Oui aujourd'hui c'est opération portes ouvertes.

Pourquoi ?

Pour Kippour.

Je t'accompagne, tu veux bien ?

Monika.

Quoi ?

Monika, je ne vais pas au cinéma, je ne vais pas au Seven Eleven, je ne vais pas boire un verre sur Robson, je ne vais pas traquer le Japonais dans Stanley Park, je ne vais pas sauter dans le vide du haut de Burrard, je vais juste dans une synagogue écouter des prières et attendre la fin du jeûne.

Ça me va. J'adore les prières, Simon, et je prierai pour Anne Frank.

Monika.

Quoi ?

Tu n'es pas juive, n'est-ce pas ?

Pas que je sache.

Donc…

Qu'est-ce que ça change ?

Je réfléchissais.

Simon ?

Je réfléchis.

Bon, après tout, une synagogue est un endroit public, juif ou pas juif, juive ou pas juive, goy ou pas goy. Et d'ailleurs qui pourrait croire en dévisageant Monika qu'elle ne soit pas juive ! Qui ? Les Hollandais se sont montrés toujours très corrects avec les juifs, les Hollandais exècrent les Allemands, les Allemands détestent les Hollandais, les Hollandais ont eux aussi souffert démesurément, ils ont perdu deux fois en finale de la coupe du monde, une fois à Munich contre des Allemands dopés au zyklon B, l'autre à Buenos Aires, contre des Argentins bouffeurs de rouleaux de papier-toilette, et d'ailleurs, d'ailleurs, comme preuve supplémentaire de leur antipathie séculaire vis-à-vis de leurs cousins germains, c'était bel et bien Rijkard qui, tel un lama hollandais dédaigneux, avait superbement craché sur cette face de fouine de Voller, alors, alors…

Simenon, s'il te plaît.

Et puis l'Ajax d'Amsterdam appartenait bien aux gros bonnets hassidiques de la ville et donc quelque part Cruijf, Krol, Haan, Van Basten, Gullit, Berkampf, Overmars devaient tout de même avoir un peu de sang juif au bout de leurs crampons sinon comment expliquer cette nonchalance, cette capacité à encaisser les défaites les plus cruelles, les revers les plus cinglants et pourtant continuer de clamer à la face du monde qu'ils étaient les meilleurs, cette suffisance, cette arrogance, cette élégance alors, alors, alors…

Simenon, s'il te plaît.

Et d'ailleurs le but de Van Basten en finale du championnat d'Europe contre la grande Russie de Dassaiev n'était-ce pas là, dans ce geste d'une pureté à même de vous redonner espoir dans le renouveau de l'humanité, la preuve absolue d'une manifestation divine aussi certaine que l'apparition de la Soubirous dans le train fantôme de Lourdes ; cette insensée reprise de volée déclenchée dans un angle impossible, c'était la mer Rouge qui soudainement s'ouvrait aux pieds des Hébreux, le bâton de Moïse qui se métamorphosait en serpent, le raid sur Entebbe, et d'ailleurs, d'ailleurs, Van Basten n'était-il pas notre Messie en personne, auquel cas comment pouvais-je refuser à Monika de l'amener aux sources de cet enfant prodigue, de ce Batave, image de la perfection absolue, alors oui, bien sûr, je me devais de montrer la voie à Monika.

Commande un taxi, et n'oublie pas de t'habiller correctement. On ne va pas à la fête foraine, Monika.
Je t'attends en bas.

Il ne pleuvait pas.
La pluie jeûnait, elle aussi.
Une lumière blanche, sourde, agressive malmenait un ciel grisâtre, sans grâce, sans aucune promesse de lumière et de légèreté à venir. Ni aujourd'hui, ni demain, ni jamais.
Le concierge, réplique troublante de Stefan Kovacs dans son survêtement estampillé fin des années soixante avec les trois bandes Adidas qui flirtaient avec les chevilles, ouvrit grande sa fenêtre : Demain pas oublier de payer loyer monsieur Salaudevitsch sinon moi venir avec fusil et pan pan ! Ah ah ah !
Ah ah ah ! Connard de Magyar !
Le jour de Kippour il ne faut pas m'emmerder.
Je m'apprêtais à tambouriner à sa porte juste pour lui rappeler que la très grande équipe de Hongrie, peut-être selon mon oncle la plus grande équipe de tous les temps, avait été battue, alors qu'elle était archifavorite, à plate couture par les Allemands en 1954, ce qui pour un Hongrois continue à constituer l'humiliation suprême, l'instant fatidique où ce pays avait failli grimper sur le toit de l'Olympe avant que les chars soviétiques ne s'offrent une joyeuse virée dans les rues de Budapest, lorsque le taxi arriva.
J'interpellai l'interphone et beuglai un Monika que je voulais convaincant.

MONIKA.

J'allai parlementer avec le taxi.

Bien sûr, c'était encore un sikh.

Two minutes please.

MONIKA.

Chut monsieur Sagaillitch pas crier trop fort, après ça les voisins pas contents et alors les voisins venir.

Ta gueule Puskas d'opérette.

A travers sa fenêtre, il m'a tendu un poing rageur.

A l'aide de mes doigts je lui ai indiqué le score de la finale de 1954. 3-2. Trois, deux.

Rouge de rage, violet d'énervement, il a baissé ses volets.

Monika est apparue.

Hormis le voile qui lui dégringolait jusqu'au menton, ses bottines noires lustrées par un GI aux arrêts, ses mains engoncées dans des gants de cuir, son pantalon noir qui dessinait la raie de ses fesses avec une précision diabolique, elle avait, je me devais de le reconnaître, une certaine classe.

On ne va pas non plus à un enterrement, Monika. Et on ne va pas non plus cotiser pour la retraite de Robert Smith ou de Morrisey. Pas plus qu'on ne va célébrer l'anniversaire de la mort de Ian Curtis. Ou celle de Jacques Brel.

Pourquoi tu es de mauvaise humeur ?

Parce que j'ai faim.

Mange alors.

Pas le droit.

J'indiquai au taxi l'adresse de la synagogue.

Je passai outre à son regard soupçonneux.

J'avais mal à la tête. C'était toujours pareil avec Kippour. Jusqu'à deux, trois heures de l'après-midi on fait le mariolle, on se teste en ouvrant le frigo, on visite le congélateur, on inspecte les placards, on décrypte les prospectus de livraison de pizzas, tiens et si je me commandais une *calzon*, ou un petit curry vietnamien, mais oui, doit être très bonne cette paella avec un petit côte-du-rhône bien frais, sans prétention – et puis survenait l'erreur fatale, par inadvertance, le petit coup d'œil jeté à l'horloge de la cuisine, encore cinq heures à tenir, cinq longues heures avant la délivrance, maman, maman, Simon a mangé une datte, c'est pas vrai maman, si je t'ai vu, menteur, papa qui sort la tête de leur chambre, maman au fond en peignoir allongée sur le lit, les enfants si vous ne vous taisez pas dans la seconde, petit un je supprime la télé, m'en fous a dit Judith tous des cons à la télé, petit deux je suspends votre argent de poche pour deux semaines, pas juste a dit Judith, et petit trois je vous enferme dans vos chambres jusqu'à nouvel ordre, pas le droit a dit Judith, c'est compris les enfants, tyrans, papa et maman sont deux tyrans, il faut les pendre, Georges, pour l'amour du ciel, arrête de crier comme ça sur les enfants, tu me donnes mal à la tête, n'oublie pas qu'à six heures on doit être rendus à la synagogue, comment veux-tu que j'oublie, au prix où on a payé les places, ne recommence pas Georges, pourquoi faut payer pour parler à Dieu je dis, tête de nœud t'en as d'autres des questions à la noix, la ferme, je t'emmerde, branleur, Daniel, Simon, j'entends encore un mot, un seul mot et je vous mets en pension, bon débarras mais même pas cap je parie, papa soupire, Georges, quoi encore, viens me changer la chaîne, c'est l'heure de mon feuilleton, bon vous avez gagné, débrouillez-vous sans moi, je renonce, je renonce, je renonce, je vous attends à six heures devant la synagogue, ne soyez pas en retard, mais enfin Georges où tu vas, me convertir Babette, même pas vrai, il va s'acheter un croissant à la boulangerie, baffe, n'oublie pas d'amener les taleths.

Simon ?
Quoi ?
Je crois qu'on est arrivés.
Très bien. Merci Sofar.
Tu as de quoi le payer Monika ? Je te rembourserai demain. J'ai pas le droit d'avoir de l'argent sur moi.
Tu as des problèmes avec la police ?
Mais non.
Avec ta banque ?
Non plus.
Je peux te prêter de l'argent si tu veux.
Juste pour aujourd'hui alors.
Pourquoi donc ?
Kippour, Monika. Kippour.

L'intérieur de la synagogue était bondé. Je sortis la kippa de mon grand-père et m'en recouvris le crâne.

J'embrassai Monika sur le front, lui chuchotai que désormais nos chemins se séparaient, qu'elle devait rejoindre le premier étage pour assister à l'office.

Elle me regarda sans comprendre.
Parce que je ne suis pas juive ?
Mais non Monika !
Parce que je suis hollandaise ?
Mais quel rapport ?
Alors pourquoi ?

Parce que tu es une femme Monika ! Tu es bien une femme, n'est-ce pas, tu as de vrais seins, un utérus, des ovaires, des trompes, et toutes les pièces détachées qui sont livrées avec et si tu le désires tu peux donner vie à un enfant, tu peux l'abriter dans ton ventre, tu peux le sentir batifoler, une fois expulsé de sa maison, tu peux même l'allaiter, oui ou non ?

Je ne sais pas, Simon, je n'ai jamais eu d'enfant. Et puis je n'en veux pas.

Mais, bordel de Dieu, là n'est pas la question Monika. On s'en fout complètement que tu veuilles devenir mère ou non, la seule chose qui importe c'est que si tu le souhaites et ton partenaire aussi, tu peux être enceinte, donner la vie, et jusqu'à nouvel ordre, on n'a pas encore trouvé mieux pour différencier un homme et une femme. Je sais, le progrès galope Monika.

Alors pourquoi je ne peux pas rester près de toi pendant Kilfour ?

Kippour nom de Dieu Monika, Kippour. Fais-moi plaisir, Monika, entre dans la salle et tu constateras par toi-même que dans une synagogue les hommes sont parqués en bas, les femmes en haut. Je suis sûr que l'Eternel avait de bonnes raisons d'agir ainsi mais surtout ne t'en va pas me demander la signification, je n'en ai pas la moindre idée, pas le moindre début d'explication, pas une miette de raisonnement qui pourrait éclairer ta lanterne – peut-être pour qu'Il ait une meilleure vue sur vos décolletés ou alors il fait plus chaud au premier niveau – et comme de surcroît je m'en fous complètement, totalement et irrémédiablement, tu n'as pas besoin de froncer tes sourcils comme si je venais de t'offenser ou alors moi je me ferai fort de te rappeler que tu es venue ici dans ce lieu de culte par ta propre volonté, et accorde-moi au moins ceci que jamais, au grand jamais, reconnais donc qu'à aucun moment je n'ai intercédé en ta faveur afin de t'éviter cet affront qui partant n'en est pas un.

Simon, Simon, tu parles trop vite.

C'est fou comment la logorrée s'envole dans la maison de Dieu. Comme si on passait un casting pour les dix commandements. Et alors Dieu dit à Simon : Va-t'en dire à Monika que si elle ne se résout pas à accepter mes commandements, jusqu'à la fin de tes jours, je la condamne à l'exil.

Elle a passé la tête, s'est attardée quelques minutes, a refermé la porte avec un grand sourire, m'a tapoté la joue en me disant : j'adore les juifs, je vous adore, je t'adore Simon, allez file vilain garçon jouer avec tes camarades, maman doit monter retrouver ses amies.

Sois bien sage, je te surveille tu sais de là-haut.

Un clin d'œil à dérider le basset de Colombo.

Et elle est partie toute sautillante. Primesautière. Ma belle des camps, des champs Simon, des champs.

A peine si elle ne dansait pas.

Au beau milieu des escaliers, elle se retourna, me souffla un impudique baiser avant de s'éloigner en reculant.

Une comédie musicale.

Voilà à quoi devait ressembler la vie pour Monika. Une comédie musicale. Qui sait si secrètement elle ne travaillait pas sur un livret avec Anne Frank comme personnage central ? Peut-être même Robert Hossein était-il déjà au courant et s'entretenait-il avec Alain Decaux sur la couleur exacte des pyjamas et la taille des rayures.

Je réajustai ma kippa et fis mon entrée dans cet endroit où je crois bien que je n'étais pas retourné

depuis ma bar-mitsvah. Ou alors je ne m'en souve-
nais plus.

Pourtant, rien n'avait changé.

Les mêmes têtes, le même rabbin emberlificoté
dans une barbe à rendre ivre de jalousie Charlton
Heston, les mêmes rouleaux de la Torah abrités
derrière un épais drap de velours rouge, les mêmes
officiants recueillis et pénétrés de leur importance,
et puis encore tous ces gens, croyants ou pas, minuscule tribu perdue au fond du Nouveau Monde, héri-
tiers de traditions séculaires, avec les patriarches
respirant le ghetto, et puis leurs fils, encore à mi-
chemin entre l'Europe et l'Amérique, leurs petits-
enfants canadiens qui bougeottaient, tiraient sur
leurs manches en demandant d'une voix plaintive
quand ils auraient le droit de rentrer à la maison,
les pères les sermonnant tout en suivant de leur
doigt appliqué la lecture de la paracha, murmurant
amen quand il le fallait, et moi, pauvre petit juif
parisien égaré parmi les miens, m'acharnant à décryp-
ter ces textes que mon voisin d'office m'avait offerts,
m'essayant à prier en silence, un juif incapable
de déchiffrer ces hiéroglyphes et pourtant Dieu
m'est témoin, n'est-il pas venu à la maison tous les
mardis et les vendredis soir cet homme érudit dépê-
ché pour m'apprendre la langue de mes ancêtres,
m'enseigner le pourquoi du comment, le comment
du commencement, et puis l'apprentissage de cet
alphabet, ces leçons prises au salon pendant que
toute la famille, sitôt l'homme de loi apparu, se cal-
feutrait je ne sais où, ces cours dispensés dans la
pénombre alors que dehors le jour s'affaissait, ces
paragraphes appris et recrachés, appris et récités
des centaines de fois jusqu'au jour fatidique de la
convocation de toute la famille, parents et frères,
oncles et tantes, cousins et cousines, venus de toute
l'Europe pour m'entendre d'une voix chevrotante

balbutier ma paracha dans le silence absolu de la synagogue sous le regard mouillé de mes parents, de Daniel et de Judith, du rabbin qui me reprenait à chacune de mes fautes, ce chant d'un enfant impubère à la voix haut perchée qui à l'instant précis où il récitait ses psaumes ne pensait qu'à une chose, une seule, les cadeaux, quand donc pourrai-je les ouvrir ?

Qu'est-ce que vous foutez là Stabilovitsch ? Je vous croyais mécréant.

Boitillon !

Il se tenait juste derrière moi, empêtré dans un sobre costume, une kippa chevauchant son crâne lisse, ses grands yeux malicieux écarquillés comme jamais, l'air pénétré par les prières du rabbin, Boitillon, Boitillon, ce n'est pas parce que vous vous branlez l'esprit en écoutant Leonard Cohen et en lisant le *Journal* de Kafka que cela vous octroie le droit de vous asseoir parmi nous, surtout aujourd'hui, oh eh Chagall, me dites pas que vous êtes en train de m'infliger une leçon de morale, d'accord je ne suis pas juif mais j'aurais pu l'être, simple question de génétique et puis, sans idée de vous vexer, contrairement à vous qui babillez un hébreu de cathédrale, moi je lis votre langue dans le texte, parfaitement, bac plus cinq en langues orientales le Boitillon, amen, alors vos reproches de juif de diaspora inculte vous les gardez pour d'autres.

Je levai les yeux vers Monika, elle se tenait tout au bord du balcon, elle psalmodiait, elle s'agrippait à la rambarde comme une possédée, toute la gent féminine la considérait avec jalousie et avec ferveur, j'avais juste peur qu'elle ne s'agenouille, mais non, elle priait – sûrement Anne Frank – et dans sa ferveur religieuse, jamais elle ne m'était apparue aussi belle et aussi désirable : étais-je en train de tomber amoureux d'elle ?

Non, non, surtout pas.

Sagalovitsch, au nom de la République française, je vous invite, vous et votre conjointe, à un apéritif au Landmark Hotel.

Où ?

Amen.

Amen.

Au Landmark Hotel, en bas de Robson.

Connais pas.

Le restaurant qui tourne.

Hein ?

A part baisouiller sur votre balcon, il vous arrive de mettre de temps en temps le nez au-dehors ? Vous savez que vous avez le droit de vous promener, personne ne va venir vous interpeller ! Le temps des rafles est passé.

Mais comment savait-il pour le balcon ?

C'est d'accord ?

De quoi ?

De s'envoyer en l'air la semaine prochaine. Mettons mardi soir.

Amen.

Vous êtes en retard.

Qu'est-ce que vous dites ?

Votre page, Sagalovitsch, tournez-moi cette page, vous allez finir par me faire honte. Qu'est-ce qu'on vous apprend dans les schul ? Juste à vous branler sans que maman s'en aperçoive ?

Mais comment diable pouvait-il savoir pour le balcon ? M'espionnait-il ? Avait-il envoyé des espions de la DGSE installer des micros dans tout l'appartement ? Ou bien alors Monika, Monika lui avait tout raconté, mais non, Monika ne connaissait pas Boitillon ! Si ?

Alors ?

Quoi ?

C'est d'accord pour le Landmark ?

A vrai dire, je dois consulter mon agenda. Je suis débordé ces derniers temps.

Tutututut à d'autres Sagalovitsch ! Tournez la page. De droite à gauche votre doigt. Bon sang ! En plus j'ai prévu de vous faire rencontrer Angélique.

Qui ?

Angélique Février.

Connais pas.

Justement c'est l'occasion. Elle meurt d'envie de vous connaître.

Mais pourquoi moi ?

Parce que Boitillon aime bien les juifs en perdition et Boitillon dans sa grande mansuétude, toute chrétienne, lui a parlé de vous à plusieurs reprises. Et il se peut fort bien qu'elle ait un petit boulot à vous proposer.

Boitillon je comprends rien à vos propos.

Amen.

Amen.

C'était qui déjà cette Angélique Février ? Le nom me disait vaguement quelque chose mais comment avait-il pu savoir pour le balcon ? Il nous avait peut-être enregistrés et il avait fait passer la cassette à tout le consulat. Je savais que c'était une mauvaise idée. Je le savais. Quand je me retournai, Monika m'adressa un petit geste de la main. Je lui souris comme un empoté. Tous les hommes autour de moi me dévisageaient et gloussaient en silence. Ils savaient eux aussi.

Ça ne va pas Chagall ?

Si si juste le jeûne. Toujours du mal vers la fin !

Le concierge ! C'était le concierge.

Huit heures, ça vous convient ?

Ce devait être les mouettes qui l'avaient alerté. Mais oui je reconnaissais bien là leur sale mentalité, donnez-leur à bouffer et voilà qu'elles vous trahissent sitôt que vous occupez le balcon pour des jeux dont elles sont exclues.

Amen.

Amen.

Huit heures mardi prochain, je passe vous prendre, ça ira ?

Huit heures.

Comment s'appelle déjà la jeune demoiselle qui vous accompagne, il ne me semble pas la connaître.

Monika.

Canadienne ?

Hollandaise.

Intéressant, très intéressant.

Vous trouvez ?

En tout cas, mes félicitations elle est ravissante sans parler de ses autres atouts.

Puis il disparut.

De quels atouts parlait-il ?

Je commençais à suffoquer de chaleur et d'angoisse, mon estomac étranglait mes viscères déconfits, mon cœur tanguait et se cramponnait à mon épaule, mes jambes dribblaient toutes seules, je levai un regard implorant vers Monika mais, bien sûr, pas bête la belle, elle regardait ailleurs ; voilà, on invite un goy à pénétrer votre sanctuaire et à peine installé dans les lieux, il se comporte comme un vulgaire colon sud-africain.

Ben si c'est comme ça moi je m'en vais.

Si, je m'en vais.

Si je peux.

Je suis un homme libre.

Parfaitement.

Un dernier regard vers Monika. Rien. La même morgue indifférente que Cruijf écoutant l'hymne allemand.

Ah ces bâtards de Bataves, jamais là quand il faut.

Excusez-moi, excusez-moi, oui bon ben ça va, j'ai quand même le droit d'aller pisser ou alors c'est défendu ça aussi ? Le jour de Kippour tu ne pisseras pas, il a dit le Moïse ? Non. Bon je peux y aller alors. D'accord je ferai un don à la synagogue, comment ça mon numéro de carte bleue, vous ne voulez pas non plus aussi le numéro de matricule de mon grand-père, non je n'ai pas de carte bleue et oui je suis bien juif, je ne vois pas le rapport d'ailleurs, si vous ne me croyez pas venez avec moi aux toilettes et je vous montrerai.

Finalement, j'ai dû leur filer mon adresse, geste que j'ai aussitôt regretté après m'être aperçu que mon envie de pisser était passée.

Encore heureux que la dame pipi assistait à l'office.

Au moment où j'allais dénoncer Monika la Goy à l'officier de sécurité, elle a surgi sur le perron, toute pimpante, m'a souri comme jamais, m'a embrassé à pleine bouche, beurk, m'a dit : viens on rentre à la maison, j'ai envie, tu ne peux savoir combien j'ai envie, mais enfin Monika, on a tenu le jeûne jusqu'à maintenant on ne va pas craquer si proche de l'arrivée, ce serait rageant, il faut tenir Monika, je sais c'est dur mais la vie n'est pas toujours facile alors du cran que diable, mais Simon je n'ai pas envie de manger, j'ai juste envie de te manger toi, Simenon. De te dévorer. Non non Monika, je ne marche pas là, c'est une façon très très retorse de détourner la loi, tu essayes de déguiser ton envie de carottes râpées par une frénésie sexuelle qui, Simon, ouh ouh, tu ne vas pas repartir dans tes grands discours, alors écoute-moi bien petit Français, tu as le choix : soit on baise à l'intérieur de la synagogue, soit tu grimpes bien gentiment dans le taxi, direction la maison. OK ?

Bon d'accord. Mais je te préviens pas de balcon. Le balcon, c'est fini. Les mouettes sont au courant, Monika, les mouettes sont au courant.

Cette fois-ci, ravalant ma fierté cocardière, oubliant Fignon et ses hémorroïdes fatales à sa victoire tout acquise lors du Tour 1989, j'optai, sage comme un Bouddha sous chimiothérapie, pour le bus afin de me rendre à l'Alliance française. Boitillon avait bien proposé de m'accompagner mais, prudemment, échauffé par mes mésaventures précédentes, connaissant désormais sa roublardise et son acharnement à me faire trébucher, je refusai.

Poliment.

Mais je refusai tout de même.

J'arrivai dix bonnes minutes avant l'heure officielle du début des hostilités mais déjà mes tortionnaires m'attendaient.

Agglutinés autour de la machine à café, comme une bande de clochards bavant d'envie devant le fumet d'une soupe populaire, ils trépignaient d'impatience et saluèrent mon arrivée avec révérence et dévotion.

Je les gratifiai d'un sourire machinal et contrarié.

Ça va, pas de panique, vous allez l'avoir votre cours sur, sur quoi déjà ? L'épanouissement de la littérature française entre les deux guerres.

C'était écrit en gros caractères partout où mes yeux se posaient. Comme si on annonçait la venue en ville du cirque Barnum. C'est ça et moi je fais quoi ?

Le Monsieur Loyal de la troupe ou le dompteur de pingouins ?

Je fis mine de consulter la montre que je ne possédais pas.

Débonnaire, je m'accordai cinq minutes avant de grimper sur l'échafaud.

Bon, tout juste le temps de m'abriter aux toilettes, descendre une canette de Coca carabinée à l'aide de quelques gouttes de bourbon.

Suivie par une deuxième que je remplissais de bourbon avec quelques gouttes de Coca. Juste au cas où.

Puis, sûr de moi, le regard perçant, l'allure décidée, tout en décontraction calculée, lion parmi les lions, je pénétrai dans la salle de cours, posai d'autorité ma canette sur mon bureau, me débarrassai de mon veston, rajustai mon col de chemise, m'enfilai une première gorgée de Coca bourbonné, et comme si j'avais fait cela toute ma vie, j'inscrivis en grandes lettres torturées mon nom sur le tableau, que je surlignai par deux fois.

Personne ne moufetait.

SAGALOVITSCH. Avec un *tsch* à la fin. J'insiste tout particulièrement sur le *s*. Ce n'est pas Sagalovitch, ni Sagalowitz, encore moins Sagalowitch ou pire Segalowich. Le premier qui trébuche sur mon nom ou ricane dans mon dos, c'est la porte. Compris ? Je ne tolérerai aucun écart. Aucun. Rompez.

Déjà ils ne souriaient plus.

C'était un bon début.

Asseoir son autorité d'entrée.

Je m'imposai une tronche impassible à la Robby Herbin, cloué de givre sur son banc de Geoffroy-Guichard. La prochaine fois, pensais-je, je reviendrais affublé d'une perruque verte aussi impressionnante que la tignasse de Jimi Hendrix au sortir de sa douche.

L'assistance se composait d'une ribambelle d'étudiants et d'étudiantes accourus des universités environnantes – j'ignorais ce que Boitillon avait pu encore leur baratiner mais, pour embobiner une poignée de fils à papa cherchant à dépenser d'une manière intelligente leur argent de poche, je lui faisais confiance – qui côtoyaient des messieurs d'un âge incertain et des dames convaincues de savoir leurs plus beaux jours devant elles.

Du moment qu'elles payaient.

Evidemment, je n'avais rien préparé.

J'avais passé ces derniers jours à rendre la vie du concierge impossible – lui apportant mon chèque de loyer une minute avant minuit, égarant ses balles de golf, inscrivant sur ses vitres encore gelées par le froid matinal le score fatidique de 3-2 –, à bouder ces traîtres de mouettes, de goélands et autres volatiles peu recommandables et à baiser avec Monika. La nuit précédente, longtemps après l'apparition de la pleine lune, j'avais bien essayé de trouver un angle pour aborder mon préambule mais c'est en vain que je guettai une idée salvatrice qui s'entêtait à me fuir comme un ballon fusant sur une pelouse détrempée : sans le faire exprès, en essayant de capter une chaîne culturelle à même de réactiver mon inspiration défaillante, j'étais tombé, par hasard, sur une rediffusion d'un Manchester-Arsenal d'anthologie. Qu'est-ce qu'ils attendaient à *France-Football* pour refiler leur ballon d'or à Dennis Berkampf ! Pire que le Goncourt cette affaire. Qu'il soit mort pour le foot ? Ou que par distraction, un jour de profonde déprime, il s'aventure du côté de Heathrow, monte dans le premier avion et trucide le pilote avant de précipiter le biplaneur sur la maison de Roy Keane, le méchant diable couleur rouge mancunien qui martyrisait depuis des années les fragiles chevilles de ses adversaires ou même, lorsqu'il pétait la forme, de ses partenaires lors de féroces séances d'entraînement.

Bref, j'avais très mal et très peu dormi, et sitôt le matin débarqué, je m'étais montré sous mon meilleur jour. J'avais envoyé paître Monika qui, comme d'habitude, voulait absolument que je l'accompagne pour une promenade en kayak, par promenade elle entendait non pas une nonchalante et romantique et langoureuse et languide et paresseuse et indolente dérive sur l'océan mais un entraînement digne des heures les plus glorieuses des athlètes survitaminés de l'Allemagne de l'Est, une bonne dizaine de kilomètres à allure soutenue qui me clouerait au lit pendant une bonne semaine avec des tas de perfusions pendues à mes bras disloqués, aussi, chose promise, chose non due, je refusai et puis quoi encore pourquoi ne pas s'accorder, après, comme petite gâterie, une descente en apnée dans le Pacifique histoire d'examiner de plus près la morphologie ventrale des baleines croisant juste au-dessous de nos fenêtres, et d'ailleurs avec tes combinaisons de plongeur peux-tu me dire où je suis censé planquer ma réserve de Témesta, hein ? Au bout de mes pagaies, peut-être, ou bien sous ma cagoule ; à tous les e-mails parvenus durant la nuit, j'avais juste répondu, d'un tir groupé, par un proverbe éthiopien : Si tu avances tu meurs, si tu recules tu meurs alors pourquoi reculer ? Avec ça débrouillez-vous.

Je m'étais dégourdi les jambes en accomplissant par deux fois le tour de Stanley Park, j'avais renversé intentionnellement une tripotée d'amateurs de rollers dont la tête ne me revenait pas, failli flanquer dans l'eau un couple de touristes cyclopèdes qui empiétaient honteusement sur la partie réservée aux piétons, putain z'avez pas vu la ligne de démarcation, j'étais même monté jusqu'à Prospect

Point pour précisément faire le point mais une scélérate de brume s'étendait jusqu'à Deep Cove. A peine si les flashs trépidants des touristes nippons parvenaient à déchiqueter ces lambeaux de brouillard. Grognon, j'étais redescendu en ville. Le fond de l'air était vif, vif certes mais pas assez revigorant pour se sentir revivre, aussi, pour me rabibocher avec cette cité embrumée je m'accordai chez Cardero un toujours délicieux hamburger au saumon, matant au passage quelques femelles à peine défraîchies qui pirouettaient autour d'hommes désœuvrés mais tout de même assez riches pour leur offrir quelques verres de chardonnay histoire de les étourdir avant de les inviter à inspecter leur suite ; la bouche pleine encore de filets de saumon, je me sauvai et longeant l'océan bougon, ignorant les immeubles en construction qui s'élevaient jour après jour à une allure ahurissante, je remontai jusqu'au Pacific Hotel qui avait comme indéniable avantage comparé aux autres établissements de son rang de proposer au voyageur désorienté l'exacte distance qui le séparait de Londres, Paris, Moscou, New York, Montréal ou Pékin.

De temps à autre un hydravion déchirait le préservatif de nuages et éclaboussait les eaux maussades de l'océan.

L'horloge qui fume – l'une des attractions les plus stupides et partant les plus courues de Vancouver – indiquait la demie de onze heures. Encore six heures à tenir.

Chez Mac Leod, seule véritable librairie de la ville hormis ces supermarchés de la culture, où dans un joyeux et crasseux désordre s'empilaient romans jaunis et encyclopédies poussiéreuses, biographies douteuses et poèmes sur l'Holocauste, je tombai, par le plus grand des hasards, sur le scénario de *Tendre est la nuit* par Malcolm Lowry.

Désormais je pouvais mourir en paix. J'avais trouvé mon Graal. Mon but en or.

Près de Robson, j'avais englouti de bon cœur une *caesar salad* en louchant sur la rediffusion de Manchester-Arsenal – évidemment il y avait bel et bien penalty sur Viera, incontestable malgré les réprobations jacassantes de Sir Alex Ferguson encore plus écarlate que la veille – puis juste pour me donner bonne conscience, j'avais rejoint la bibliothèque, petit bijou architectural, sorte d'aqueduc culturel construit de briques couleur brique.

Trois heures plus tard, j'en ressortais avec, sous le bras, une histoire critique du football moderne, un traité sur l'évolution du schéma défensif depuis l'introduction du hors-jeu de position, un essai comparé sur le football et la tragédie antique, une biographie de Garrincha, une réflexion sur l'avenir du numéro dix dans les équipes occitanes sans oublier la dernière livraison de *France-Football* et de Onze Mondial ainsi qu'une flopée de fanzines en anglais sur la Première League avec, tiens, tiens, Berkampf en couverture s'exclamant *Arsenal belongs to my heart for ever* tandis que, décidément, Roy Keane avec sa gucule des mauvais jours, barbe de sept jours, rictus méprisant, nez arrogant, yeux humides, proclamait *Everyday I have to prove to myself that I am not a bad guy.*

J'étais repassé à la maison déposer ces manuels de survie et de savoir-vivre. Monika s'apprêtait à sortir.

Où tu vas ?

A la schul.

Hein ?

A la synagogue. Je me suis inscrite pour apprendre l'hébreu.

Décidément cette femme me sidérait, capable de s'ébrouer dans l'océan à bord d'un kayak et une heure plus tard de s'enfermer dans une salle d'étude pour s'initier à une langue morte.

Mais pour quoi faire Monika ?

Pour apprendre l'hébreu je viens de te dire.

J'avais compris mais pourquoi diable, pourquoi diantre, pourquoi nom de Dieu as-tu envie de te frotter à cette langue sans avenir ?

Pour seule réponse, elle m'embrassa avec conviction, me souhaita bonne chance pour mon cours et stipula que si je rentrais avant elle, ça signifierait qu'elle dînerait avec quelques-unes de ses amies du centre.

Très bien.

Pourquoi chercher à comprendre ?

Vis ta vie ma chérie.

Encore une heure à tuer. Trop court pour une sieste.

Dommage que je me sois fâché avec les mouettes j'aurais bien passé un moment à les regarder tournoyer au-dessus du balcon.

Dans le jardin, le gardien peaufinait encore et encore son putt. Tuuuttttt pas jouer au golf parce qu'après les voisins venir me voir moi et après moi venir vous voir.

Un bras d'honneur.

Je l'aimais bien cet homme.

Un de ces soirs, on devrait l'inviter à manger.

Finalement la nuit était tombée lorsque je me faufilai entre les impasses pour rejoindre l'abribus.

Bien.

Bien, bien.

Très bien.

Avant toute chose, laissez-moi en tout premier lieu, en cette séance inaugurale, vous remercier de votre présence ici et vous dire la motion, la lotion, l'émolition, l'émotion, l'émotion qui m'étreint en cette minute.

Une gorgée.

Plutôt chaud ici, trouvez pas ?

Très mauvais la chaleur pour réfléchir.

Très très nocif.

La chaleur tue. Regardez Lawrence d'Arabie. Ou Diego Maradona.

Bien.

Deux longues gorgées.

Bien.

A vrai dire ou plutôt à dire vrai, au risque de vous heurter, voire même de vous choquer ou, honte à moi, de vous scandaliser, il me faut vous avouer que, aux prémices promesses de cette aventure que j'espère être riche d'enseignements pour vous et moi *me too*, convaincu je ne l'étais guère, non voyez-vous en mon fort intérieur, oui avec un *t* mademoiselle, comme un château fort, je me disais pas plus tard que tout à l'heure en empruntant le bus, le numéro huit, un bus tout jaune

qui va vite, très vite, vingt minutes depuis le centre
et houla hop me voilà en chair et en os, qui diable
me disais-je donc, à l'heure de l'Internet et des
satellites, du téléphone sans fil et du portable,
d'Oberkampf et de Roy Keane, du Concorde et de
Columbia, de Madonna et de Placebo, de Michael
Jordan et de Tiger Woods, de Paulo Coelho et de
Marc Lévy, mais non mademoiselle avec un *y* à la
fin enfin, vous n'avez jamais vu *Shoah* ou quoi ? qui
donc m'interrogeais-je sans relâche dans ce bus qui
fonçait dans les ténèbres de la nuit vancou vancouver vancouvénérienne dans la nuit de Vancouver et
toi qui pâlis au nom de Vancouver, qui donc aura
le courage, le temps, l'envie de s'intéresser encore
à la Littérature Française, cette grande dame branlante et bredouillante et balbutiante, et pourtant, et
pourtant, en nous voyant réunis ici, en si grand
nombre, il me faut constater que j'avais tort, oui
mademoiselle toujours avec un *t*, comme dans un
château tort et c'est un tel réconfort, avec un *t*
comme dans château fort, de voir que de si nombreux crétins, chrétins, chrétiens, chrétiens, chrétiens,
pardonnez cette offense, peuvent répondre à l'appel de cet intitulé quelque peu pompé, pardon
mademoiselle, oui pompeux bien sûr, n'est-ce pas
là ce que j'ai dit, ah, j'en suis tout ébaubi, ce n'était
pas voulu, ma langue a dû faucher, fourcher, mille
excuses, l'épanouissement de la littérature française
à travers les deux, trois guerres voire quatre ou
bien cinq, je l'avoue bien volontiers, que ce n'est
pas à moi que revient l'émérite mérite de cette
trouvaille, non pas travaille mademoiselle, trouvaille, je ne suis pas galeux, gâteux tout de même,
non l'auteur de cette farce cupide, stupide, insi-
pide, n'est autre que ce cher Boitillon, oui mademoiselle avec deux *l*, comme dans château foll,
l'attaché culturel du consulat, non sans accent sur

le *i*, dites-moi mademoiselle vous allez continuer à m'emmerder longtemps comme ça, M. Boitillon donc, notre très cher attaché culturel qui n'a jamais été à même de pondre la moindre ligne si ce n'est de recopier des poèmes de Leonard Cohen, d'ailleurs permettez-moi tant que j'y suis cet aparté qui ne restera, rassurez-vous, qu'un aparté, comment expliquer que Bob Dylan, Lou Reed, Iggy Pop ou l'ami Cohen soient tous des salopards de sémites qui dynamitèrent la pop music au milieu des années soixante et d'ailleurs maintenant que vous abordez le sujet, un affreux doute m'assaille : Ray Davies n'est-il pas juif lui aussi, je ne sais pas, je ne sais plus, je suis perdu, Davies, Davies, ça sonne un peu sémite, non – fin de l'aparté, de l'aparté mademoiselle, pas du cours –, où en étais-je, peu importe, peu m'importe, bande de smocks, de snobs, de zob, de lob, de bob, de Bobby, de Bobby Fischer il s'entend, donc en nous réunissant ici dans ce lieu sacré où rayonne, encore et toujours, la culture française comment, comment ne pas comprendre et se réjouir que la littérature se moque des frontières tout comme Van Basten se moquait éperdument du nom du défenseur chargé de le faire trébucher – en aparté mais je reviendrai si nécessaire plus en profondeur sur cette délicate et fondamentale question, Marco Van Basten était-il un faux numéro dix ou alors un véritable numéro neuf, fin de l'aparté, non désolé toujours pas du cours mademoiselle…

Une petite gorgée.

Quelle chaleur !

J'irais bien piquer une tête dans l'océan.

D'ailleurs je crois que je vais rentrer en nageant.

J'en connais une, croyez-moi, que cela épatera.

Ah la tête de Monika si elle me voit surgir de l'eau !

Ah ah excellent !

Encore plus fort que son raid en kayak sans assistance.

Bien.

Très bien.

Et d'évidence traiter de l'épanouissement de la littérature française entre les deux guerres c'est aussi traiter de l'engouement pour un antisémitisme féroce qui s'abattait alors dans le cerveau dérangé de nos plus grands écrivains, ô Céline, ô Morand, ô Maurras, ô Drieu, que Dieu dans toute sa miséricorde vous apporte un ultime réconfort, vous roule une pelle d'anthologie avant de vous plonger dans les feux de l'enfer, plus grande plume que grand écrivain oserais-je avancer à votre corps défendant, avis tout personnel je vous l'accorde, de quoi mademoiselle, aux toilettes, mais que diable je vous fais un tel effet que je mettrai en parallèle avec la carrière de Zibeline Zizane dans la mesure où peut-on vraiment s'extasier sur son génie supposé alors que hormis deux coups de tête miraculeux lors du Mondial 1998 – en aparté, sera venu le moment de nous demander si Zidane n'est pas finalement que le dribbleur de l'invisible ou de l'inutile, fin de l'aparté –, rasseyez-vous, je vous avertirai lorsque ce sera la fin du cours, est-ce que c'est clair ?

Cela l'était.

Vous êtes satisfaite ? Me voilà coupé dans mon élan tel un Rocheteau qui, débarrassé de ses partenaires, s'en va se jouer du goal adverse avant que ce dernier d'un vilain tacle ne l'oblige à brouter l'herbe boueuse de Félix-Bollart ou de Marcel-Saupin.

Carton rouge.

Je m'approchai de la fenêtre. Etait-il possible de débiter une telle somme de conneries sans que personne réagisse, intervienne et vienne se plaindre ? Mais non, c'est qu'elles buvaient, assoiffées de savoir, mes paroles de prédicateur ces bonnes âmes. Elles grattaient, elles remplissaient leurs cahiers flambant neufs, elles m'écoutaient, elles écoutaient mon flot de conneries sans broncher, pas étonnant qu'Hitler ait pu baratiner son peuple les doigts dans le nez.

Une petite gorgée.

Une profonde respiration.

J'aurais dû réviser tout de même.

Cela va finir par se voir.

D'ici peu le doyen va se pointer et me demander de déguerpir.

M'en fous. Je vivrai plus vieux que lui.

Hum, hum force est donc de constater, constatation des plus réjouissantes, je ne vous le cacherai pas, moi qui tout au long de mon existence n'ai jamais cessé même dans les périodes les plus sombres de me raccrocher vaille que vaille à LA LITTÉRATURE, de savoir que même dans les endroits les plus improbables et les plus reculés de cette planète, continue à briller vaille que vaille la flamme étincelante et toujours vigoureuse de la littérature française, telle la flamme du soldat inconnu sise au pied de l'Arc de Triomphe, triomphe de la civilisation sur la barbarie, de cette barbarie qui aura empoisonné ce siècle moribond, fermez-la mademoiselle sinon je vous renvoie dans les vestiaires sur-le-champ, ce siècle de toutes les douleurs et de tous les malheurs, ce siècle qui aura vu cohabiter dans le même élan enragé l'émergence de deux impitoyables dictatures, ce siècle de tous les renoncements et de toutes les divagations, de toutes les audaces et de toutes les défaites, et, sans relâche, jour après jour, il nous faudra nous demander par quel miracle insensé l'homme, ce survivant borné, a pu se relever après avoir vu Gerd Muller réduire à néant l'espoir de voir enfin le beau jeu récompensé, et comment, à peine quatre ans plus tard, cette même humanité traumatisée a encore pu supporter l'infamie de Mario Kempes et de ces rouleaux de papier-toilette volant au vent et s'emberlificotant dans les visages des dieux défaits, abandonnés de Lui, cette frappe de Resenbrink à l'ultime seconde de la rencontre n'est-ce pas là la représentation la plus odieuse et la plus douloureuse qui nous ait été donnée de la preuve de la mort de Dieu, oui de Dieu et pourtant, et pourtant, toujours l'homme se relève, admirable de courage et de persévérance, aussi il nous faudra réfléchir sur cette question essentielle : Gerd Muller est-il la création de Céline et de Morand et si oui que dire de Schumacher mais non mademoiselle pas le coureur automobile, ni même son frère mais l'autre, Harald, figure tutélaire d'une Europe déconfite à Séville.

Une gorgée.

Des questions ?

Pas de question.

Tu m'étonnes.

A la fin du cours, un essaim d'étudiants ahuri par la prestance de ma prestation s'est précipité à ma rencontre mais j'ai prétexté un dîner chez le consul pour m'esquiver.

Et évidemment j'ai bouffé une platée de pâtes froides pendant que Monika s'empiffrait au Delikatessen de la 32e Avenue avec ses nouvelles copines.

Pas juste la vie parfois.

Non, pas juste.

Simon je crois que je t'aime.

Qu'est-ce que tu as dit ?

Je crois que je t'aime.

…

Simon ?

Quoi ?

Tu m'aimes ?

Sais pas. Pas tout de suite.

Tu veux que je me convertisse ?

A quoi ?

Au judaïsme gros bêta.

Non, non surtout pas.

Pourquoi non ?

Parce que, parce que, parce que ça ne sert à rien.

Tu crois pas à la conversion ?

Autant croire qu'un numéro dix puisse devenir un arrière droit. T'imagines un peu Janvion en tête-à-tête avec Sepp Maier.

Et si moi je décide que je veux devenir juive ?

Non mais attends Monika on ne joue pas au Monopoly. J'échange la rue Lecourbe contre la rue de la Paix.

Je n'ai jamais été à Paris, Simon.

Tu n'as pas raté grand-chose, crois-moi.

Tu sais quoi Simon ? Tu es gris.

Gris ?

Agris.

Aigri.

Oui.

Si je devenais juive est-ce que tu m'épouserais ?

Tu ne le seras jamais.

Le rabbin prétend le contraire.

Ils y connaissent rien les rabbins. Tous des escrocs.

Comment ça ?

Comme ça.

T'as toujours été comme ça ?

Comme quoi ?

Comme maintenant.

Comment je suis maintenant ?

Compliqué.

Je ne suis pas compliqué, c'est toi qui compliques toujours tout.

"Alors, dis-moi dis-moi, tu files toujours le parfait amour avec ta sauce hollandaise ?

Allez dis-moi.

S'il te plaît.

Je veux tout savoir sinon je dis tout à maman.

Comment ça avec une Hollandaise ? Mais elle est juive au moins ? Même pas maman, tu te rends compte.

Tu veux vraiment qu'il lui arrive quelque chose de grave, c'est ça ?

Je ne te savais pas si ingrat. Comment le Canada t'a changé mon fils !

Tu es devenu sans cœur.

Bon alors, tu réponds le petit terroriste à sa maman, elle a quel âge la bellâtre goy, elle ressemble à quoi, à la Sainte Vierge ou à Esther Canadas, elle te baise bien au moins et toi tu sais toujours comment on fait ?

Oui je sais et une baffe pour moi.

M'en fous même pas mal.

Depuis le largage en plein vol de Jean-Marc – aux dernières nouvelles, il s'est installé dans une colonie et attend de pied ferme le char qui viendra le déloger – je m'emmerde, pardon, je m'ennuie, je me morfonds d'ennui plus qu'il n'est permis.

Au moins, avant, quand tu vivais dans la Kapitale, mère de toutes les villes, belle-mère exemplaire, grand-mère exécrable, pardon quand tu survivais dans cette putain de cité de merde hantée par cette litanie de gendarmes voleurs d'enfants (je te cite), on pouvait morigéner ensemble.

Le matin, à peine réveillée que je soupire déjà d'un ennui profond. Même dans mes rêves je m'ennuie. C'est dire.

Alors je marche.

Des heures et des heures.

La dernière fois je suis tombée en déambulant sur les Grands Boulevards par le plus grand des hasards, si c'est vrai, sur la parfumerie de Léa.

On s'est embrassées, avec effusion, comme deux vieilles camarades qui auraient survécu à Auschwitz et ne se seraient pas revues depuis le bon vieux temps des baraquements. Je ne sais toujours pas ce que tu as pu lui trouver. Elle a toujours cet air godiche qui m'exaspère. En un mot, elle pourrait très bien travailler à la télévision sans déclencher la fureur des téléspectateurs.

Oui, elle t'embrasse. Mais de loin.

M'a juste dit : il me manque tu sais mais je crois avec le recul qu'il était trop étrange pour moi, tu ne trouves pas ?

Si, si sûrement.

Le pire c'est qu'elle ne m'a même pas offert quelques échantillons de parfum, c'est minable non ?

Mais en même temps guère étonnant.

A propos tu ne m'as toujours pas dégoté un Canadien vaillant et robuste, silencieux et riche, juif et agnostique qui m'accueillerait à bras ouverts dans son igloo ?

Non ?

Décidément, on ne peut vraiment pas compter sur toi.

Daniel – je ne savais même pas qu'il connaissait mon numéro – m'a appelée hier soir pour me supplier de venir vendredi soir dîner avec les parents.

J'ai réservé ma réponse.

J'ai peur de m'effondrer en larmes au beau milieu du repas et de noyer mon chagrin dans le jus du couscous.

Daniel est la seule personne que je connaisse qui, lorsqu'il t'appelle, te donne l'impression que tu l'emmerdes. On jurerait que maman a un pistolet braqué sur sa tête et lui dicte ce qu'il te balance au bout du fil.

A part ça ma libido vadrouille je ne sais où.

Les hommes me saoulent, les femmes m'agacent.

Dis-moi, Miss Lonelyhearts, aurais-je pu laisser passer le grand amour de ma vie sans même m'en rendre compte ? Suis-je assez folle pour avoir réussi cet immense exploit ?

Hélas mon beau miroir me confirme que oui.

Tant pis je mourrai donc toute seule.

Côté parental maman m'a dit : ma fille je sais très bien ce que tu penses de moi mais pour une fois écoute-moi : appelle le fils Bokobza, il attend que cela, qu'est-ce qui va pas avec le fils Bokobza ? Il est élégant, il a toujours un mot gentil pour moi et grâce à Dieu, il gagne bien sa vie, tu sais qu'après celle de Sarcelles, il vient d'ouvrir une succursale à Miami qui selon sa mère marche du tonnerre, appelle-le je t'en prie, qu'est-ce que tu perds ma fille ?

C'est un idiot a dit papa en levant les yeux de son journal. Si tu te maries avec lui, je te déshérite, je te préviens.

Geooooooooorges, mais ça va pas la tête ? Et depuis quand maintenant tu te mets à nous espionner, hein ?

Ne l'écoute pas ma fille, il vieillit.
C'est un idiot je te dis.

Prends bien soin de toi, embrasse ta nouvelle conquête et surtout ne m'oublie pas.
Tu promets ?
Dis que tu le promets.

Tu le mérites pas mais je t'aime enfoiré."

C'était la valse à mille temps.

Ce restaurant pompeusement appelé *Le Paradis pour Tous*, situé au quarante-quatrième étage d'un hôtel par ailleurs sans éclat, tournicotait bel et bien.

A une lenteur vertigineuse mais tout de même c'est fou ce que, en cette fin de siècle, les hommes parviennent à bâtir me disais-je en contemplant la nature alentour.

Une fête foraine entre terre et ciel.

Une grande roue horizontale.

Ce devait être le tourniquet le plus lent, le plus romantique aussi de Vancouver.

Surtout en cette fin de journée.

Les montagnes n'étaient que verdure, tapis de pins descendant barboter vers l'océan, forêts de chênes dégringolant jusqu'aux rivages, avalanches de séquoias déboulant sur le Burrard Inlet.

Ça vous en bouche un coin, Tagadalovitsch ?

Boitillon, un cigarillo en fin de vie planté dans la bouche, une main plaquée sur les genoux de Janvier, devait avoir la même tronche que celle de son chat confronté à une tranche de saumon fumé : extatique.

Très joli.

Il avait commandé du champagne.

Veuve Clicquot bien sûr.

Ah décidément ces scélérates de mouettes !

Manquerait plus qu'il sorte, de l'entrecuisse de sa nouvelle conquête, un mont-d'or crémeux à souhait.

Monika, entre deux visites aux toilettes consacrées à réapprovisionner son sang en plaquettes de shit, n'arrêtait pas de pouffer, c'est dingue on tourne, on tourne, je tourne, Simon, je tourne.

C'est ça tourne ma chérie.

Si ça te fait plaisir.

Angélique Mars-Avril-Mai ne disait rien.

Elle moulinait un doigt dans sa chevelure blonde, avant d'en extirper un cheveu qu'elle contemplait longuement comme pour calculer le nombre d'années qu'il lui restait à vivre.

Personne ne parlait.

Ça tombait bien, je n'avais rien à dire, j'étais juste soucieux de connaître le résultat de Saint-Étienne contre Lorient.

Pour la première fois depuis mon arrivée à Vancouver, je me sentais seul.

Atrocement seul.

Comme jamais.

Pourtant la France ne me manquait pas. Si je n'arrivais pas à être heureux ici, alors où ?

Sans même m'en rendre compte, j'avais attrapé la malédiction du juif errant, jamais bien nulle part, toujours à la recherche d'un paradis qui n'existait que dans les livres d'enfants.

Repartir mais pour aller où ? Loin. Loin de quoi ?

Partir retrouver Travis dans son désert ? Me marier avec Monika à Amsterdam et prendre ma carte d'abonné de l'Ajax ? Me convertir au catholicisme et entrer dans les ordres et jouer à touche-pipi avec les garnements du catéchisme ? Renoncer à ma liberté, rentrer au pays, passer le concours de facteur et profiter des bons de réduction du comité d'entreprise ? M'exiler en Israël, apprendre le maniement des armes et défendre la patrie en danger ?

Alors comme ça vous travaillez à l'Alliance française ? Ma nièce m'a dit que vous étiez brillant.

Devait être la conne qui m'emmerdait avec ses remarques ampoulées.

Je souriais du bout des dents.

Je ne parlerais pas.

Je voulais juste rentrer à la maison, filer sous les couvertures et dormir.

Les belles femmes l'intimident Angélique.

Souris, Simon.

Oui mais non je n'avais pas envie.

Boitillon n'arrêtait pas de mater Monika et de me lancer des coups d'œil lubriques.

Il commençait à me fatiguer cet homme.

J'ai prétexté une atroce migraine et je suis rentré en taxi à la maison. Monika avait décidé de rester encore un peu. Tant mieux. Tant pis.

Et, évidemment, Saint-Etienne avait perdu contre Lorient.

Pas cette année qu'il remonterait en première division.

Encore une saison où il faudrait feindre de s'enthousiasmer pour des rencontres d'anthologie contre Gueugnon ou Wasquehal.

J'étais toujours d'une humeur aussi maussade lorsque le téléphone a sonné et que j'ai reconnu la voix de Daniel au bout du fil ; alors j'ai senti comme si la terre chavirait à mes pieds ; alors j'ai deviné le souffle putride de la grande faucheuse bavant dans mon cou ; alors j'ai vu des voitures écrabouillées, des maisons incendiées, des ambulances surchargées, des cercueils fermés.

Simon ?

Oui.

C'est Daniel.

Oui.

Tu m'entends bien ?

Oui.

Tu vas bien ?

Oui.

Ne panique pas, veux-tu, mais j'ai une mauvaise nouvelle à t'annoncer.

Oui.

C'est Judith. Elle a encore essayé mais elle va s'en sortir. Tu m'entends ?

Oui.

Elle te réclame. Les parents ne sont pas au courant. Je t'ai réservé un billet d'avion. Vol 5783. Il part à 16 h 23 de Vancouver, tu as une escale à Amsterdam, tu atterris, demain matin, à Roissy à 7 h 25. Je t'attendrai. Tu dois retirer ton billet au guichet de KLM. Ton passeport est valide ?

Oui.

Bien. Alors à demain Simon. Je t'expliquerai. Tiens bon.

Oui.

De retour à Paris depuis une semaine. Je n'ai cherché à contacter personne. Mes parents me croient encore au Kanada. Je n'ai pas la force de les affronter. Avec le peu d'argent qui me restait, je me suis acheté une vieille Honda toute cabossée.

J'ai récupéré aux puces de Vanves un maillot de Rocheteau des vertes années.

Je pense m'installer un de ces jours aux abords de Geoffroy-Guichard.

Judith va mieux.

Elle est toujours incapable d'expliquer son geste.

Je ne cherche pas à l'ennuyer avec des questions tordues.

Plus tard peut-être.

Quand elle se sentira prête.

Je me contente de veiller sur elle.

Nous passons nos journées, affalés sur son canapé, à bouffer des Bolino et à regarder des feuilletons navrants de connerie.

Le soir venu, on sillonne Paris à bord de ma Honda.

Avant-hier, on a roulé jusqu'au Touquet.

On a mangé des moules frites à neuf heures du matin en contemplant la mer.

J'attends.
Je n'attends rien.

Je suis un juif en cavale.

A suivre…

Vancouver-Paris-Arles-Clairis-
Zurich-Paris-Chambezy.

Pour toutes suggestions, demandes en mariage, insultes, félicitations, réprimandes, commentaires, remerciements, dons de toutes sortes (j'accepte les chèques et les francs suisses ainsi que les dollars canadiens), remarques pertinentes ou pas, veuillez me joindre à l'adresse suivante :

sagender@yahoo.com
(paiement par carte bleue sécurisé)

OUVRAGE RÉALISÉ
PAR L'ATELIER GRAPHIQUE ACTES SUD
ACHEVÉ D'IMPRIMER
SUR ROTO-PAGE
EN JUIN 2005
PAR L'IMPRIMERIE FLOCH
A MAYENNE
POUR LE COMPTE DES ÉDITIONS
ACTES SUD
LE MÉJAN
PLACE NINA-BERBEROVA
13200 ARLES

DÉPÔT LÉGAL
1re ÉDITION : AOÛT 2005
N° impr. : 63295
(Imprimé en France)